검은 동굴

The black cave

`저자 지 영
지은 책으로 「검은 동굴」,「플라스틱 하늘」이 있다.
jiyoungoff@gmail.com
instagram.com/jiyoungoff

검은 동굴

발 행 | 2016년 09월 07일
저 자 | 지 영
펴낸이 | 한건희
펴낸곳 | 주식회사 부크크
출판사등록 | 2014.07.15.(제2014-16호)
주 소 | 경기도 부천시 원미구 춘의동 202 춘의테크노파크2단지 202동 1306호
전 화 | (070) 4085-7599
이메일 | info@bookk.co.kr

ISBN | 979-11-272-0427-3

www.bookk.co.kr

지음 이 · 지영

차례

•

1부

1

무더운 공기가 피부를 덮치는 여름날, 또 다시 내 생일이 돌아오고 있었다. 이번 생일에는 무엇을 하는 것이 좋을까? 내겐 생일을 특별하게 보내려는 오래된 습관이 하나 있다. 부모님이 남들보다 재산이 많아 내가 태어났을 때부터 생일을 거창하게 보냈기 때문이다. 세 살 버릇 여든까지 간다고, 이때까지 매년 생일 파티를 하고 있지만 그 습관 때문에 벌어진 일들도 많았다. 일종의 징크스라고 말할 수 있다. 이번 생일에도 무슨 일이 꼭 벌어질 것만 같다. 무슨 일일지는 나는 정확하게 알 수 없지만 낌새로 느낄 수 있다. 또 일이 생길 것이라는 걸. 사소한 일일 수도 있지만 어쩌면 어마어마할 수도 있다. 앞으로 무슨 일이 일어날지는 아무도 모른다.

나는 국내에 있는 좋은 대학을 나와 안정적인 직장에서 괜찮은 연봉을 받고 마땅한 대우를 받으며 일을 하고 있는 건장한 28세의 남자이다. 일, 회사에 대해서는 정말로 아무런 불만이 없다. 내 열 손가락과 열 발가락은 자유자재로 움직이고 몸속의 장기들은 톱니바퀴처럼 서로 협력하며 미끄러지듯이 건강을 쏟아내고 있었다. 게다가 큰 키의 넓적한 어깨와 호감의 인상을 가진 나를, 특별한 수를 쓰지 않아도 여자들은 곧잘 좋아했다. 아름다운 여자들과 고급스러움이 물씬 풍기는 일류 호텔을 들락날락거렸으며, 가질 수 있는 물건은 내 손으로 직접 쥐었고 가고 싶은 곳은 다 가보았다. 이러한 모든 것을 일일이 다 나열하자면 한도 끝도 없어 입이 아플 것이다. 어쨌든 간에, 나는 남들이 다 하는 돈 걱정이나 여자 걱정은 해 본 적이 없다. 진지하게 미래의 생존에 대한 걱정도 해보지 않았다. 내가 누군가는 듣기 싫어할지 모르는, 이런 말을 서두에서 꺼내는 것은 결코 자기 자랑이 아니라, 나의 지독한 고민 때문이다. 지금부터 시작될 이 주관적인 이야기는 순전히 나의 고민으로부터 비롯되고 있다.

물론, 다른 사람이 보기에 나는 **이상적인 생활**을 하고 있다. 누군가는 분명 나의 생활을 꿈꾸겠지. 부족함 없는 생활. 나도 그것을 알고 있지만, 내게는 이 많은 일상적인 문제보다 다른 문제가 있었다. 절대 풀리지 않고, 어떻게 하면 풀 수 있는지도 모르고, 해답마저 존재하지 않는 문제 말이다. 종교, 사회, 사상 등에 관련된 문제라 생각할 수도 있겠지만 그런 것들이 아니다. 그 문제는 바로 **권태**였다.

권태를 해소하기 위해 내가 할 수 있는 일은 다 해봤다. 지금도 현재진행중이다. 이것저것 발버둥을 치며 해봤지만 그 때뿐이고, 시간이 지나면 결국에는 질리고 시시해졌다. 권태를 벗겨내는 방법을 누가 알고 있다면, 우리 집에 있는 모든 재산을 다 털어서 바치고 싶기까지 하다. 여행, 인간관계, 술, 분위기 좋은 곳, 맛있는 요리, 영화, 여행, 음악, 자동차, 비싸거나 싸거나, 좋거나 나쁘거나, 복잡하거나 단순하거나, 이젠 전부 비슷하게 느껴졌다. 사람의 모든 감각을 충족시키기 위해 자본과 노력을 투자하여 지금도 새롭고 다양한 상품들이 쏟아져 나오고 있지만 어느 하나 그 기쁨이 오래 지속되는 것은 없었다. 이 세상에 영원히 질리지 않는 것은 정말 없는 걸까? 내게 이 문제가 얼마나 심각하냐면, 차라리 전쟁이라도 터져 전쟁터에서 아무생각 없이 명령에 따라 격렬하게 총질이나 하면 좋겠다는 마음을 가질 정도라는 거다. 그러다가 죽게 되면 나라를 지킨 영광스러운 죽음이라고 역사가 존재하는 한에서 후대 사람들은 나를 기억해줄 것이고, 나는 노벨평화상이라도 받은 듯 자부심을 가지고 눈을 감을 것이다. 내가 왜 이런 몽상을 해야 되는 건지, 참. 자괴감이 든다. 전쟁에서 총질이나 하며 죄 없는 사람들을 죽이고 문명을 파괴하는 것이 지금 생활보다 더 낫겠다는 생각을 하고 있다니, 나는 권태 때문에 머리가 어떻게 된 지도 모르겠다.

권태는 나를 꼭 잡고 내 인생을 뒤흔들어 놓으며 절대 놓을 생각이 없는 아주 질긴 놈이 틀림없다.

그렇다면 이번 생일은 무엇을 해야 **그나마 나을까**? 생일 일주일 전, 점심시간에 두툼한 립아이 스테이크를 씹으며 육즙이

총알처럼 튀어나와 혀에 부딪혔을 때, 마침 좋은 생각이 떠올랐다. 나는 일을 마치고 집으로 돌아오자마자, 그 생각을 행동으로 옮겼다. 우선, 버스와 강원도 산골에 있는 적당한 캠핑장을 빌리고, 사람들에게 초대문자를 돌렸다. 우리 집은 가끔 정원에서 바비큐 파티를 여는데, 그 때마다 항상 부르는 유능한 요리사가 있었다. 그 요리사에게 다른 요리사를 데리고 강원도 캠핑장으로 와서 케이터링 서비스를 해달라고 요청했다. 바비큐 재료는 랍스터와 한우와 돼지고기, 닭고기, 양고기, 전복, 송이버섯 등 맛있는 재료와 그에 맞는 각종 술도 준비해달라고 했다. 간단히 해먹을 수 있는 칵테일 재료까지. 급료는 두 배 이상 주는 걸로 했다. 파티 플래너도 불렀고, 그 외에 다른 준비까지 완벽하게 마쳤다. 이 자본주의 사회에서는 돈만 있으면 온갖 번거로운 일은 내 손으로 직접 하지 않아도 된다. 사람이 필요한(굳이 필요한 것 같진 않은) 모든 걸 팔아 돈 좀 벌어보려고 많은 상업이 발전했기 때문이다. 그리고 나에겐 이런 먹거리 준비 외에 다른 계획도 있었다. 생일날이 되면 내 계획은 저절로 완성될 것이다. 이제 시간이 지나 생일이 오기만 하면 끝이었다.

7월 4일. 생일 날 아침이 밝았다. 침대에서 일어나 창밖을 보니 해가 쨍쨍했다. 집 안은 에어컨 때문에 쾌적하고 시원해 밖의 날씨가 실감이 나지 않았다. 가볍게 샤워를 하고 1층으로 내려와 어머니와 단 둘이 밥을 먹었다. 미역국과 반찬은 내가 좋아하는 구운 전복과 대하, 불고기였다. 조용한 분위기 속에서 씹는 소리와 숟가락으로 그릇을 긁는 소리만 났다. 어머니는 기분이 썩 좋아 보이진 않았다. 그러다 넌지시 어머니가 내게 말을 걸어 왔다.

"생일 축하해, 아들."

축하라는 단어가 건조하게 들렸다.

"고마워요."

"오늘은 뭐 할 계획이니?"

어머니는 고개를 숙이고 미역국을 들이마시며 말했다.

"강원도에서 친구들과 캠핑해요."

"몇 명이서?"

여전히 미역국을 후루룩 마시는 어머니.

"한 삼 사십 명 정도 돼요."

내 대답을 듣고 어머니는 고개를 들었다.

"다 친한 친구들이니?"

나는 머뭇거렸다. '친한'이 걸려있었다.

"그냥 친구들이에요."

"그냥이라면, 다 부를 필요 있니?"

어머니는 내 예상과는 다른 말을 하고 있었다. 나는 살짝 당황하여 아무 말이나 뱉었다.

"북적거리면 좋잖아요."

"작년 생일 파티 이야기 들었다."

나는 멈칫했다. 하지만 상관없었다. 그 이야기를 들었어도. 나는 간단히 네, 라고 대답했다.

"건희야."

"네."

"그러다가 소중한 걸 잃을 수 있어."

"네."

어머니는 한숨을 쉬었다. 어머니의 수저는 이미 상에 내려놓아져 있었다.

"혹시 안 좋은 일 있으세요?"

나는 눈치를 보며 넌지시 물어보았다.

"아니… 아니야. 다만 너도 소중한 걸 잃지 않았으면 해서 말하는 거야."

"네. 명심할게요."

나는 커다란 전복을 입에 가득 쑤셔 넣었다. 버터를 발라 구운 전복은 언제 먹어도 맛있다.

어머니는 한숨을 쉰 후 좋은 시간 보내라고 말하며 자리에서 일어나 정원으로 나갔다. 분명 스무 그루 정도 되는 분재와 다른 종류의 식물들을 보러 갔을 것이다. 어머니는 식물에 관심이 많았다. 일주일에 한 번 정원관리사를 오게 하여 정원을 착실히 관리했고, 관리를 마치고 나면 그 둘은 삼십 분 넘게 이야기를 나누었다. 대화 주제는 역시나 식물이었다. 어머니가 정원에서 따로 관리하는 곳이 모퉁이에 조그맣게 있었는데, 유일하게 그곳만 정원관리사의 손을 못 타게 하였다. 자신의 손으로 직접 식물을 키우고 싶어 했기 때문이었다. 어머니는 고가의 식물을 수입해서 정원에 심거나 화분에 담아서 키웠지만 얼마 되지 않아 금방 시들어버렸다. 그걸 보며 어머니는 안타까워했지만 지치지 않고 매번 다시 새로운 걸 샀다. 내가 어렸을 때부터 그랬으니 벌써 20년 정도를 지치지 않고 정원을 관리하고 있는 것이다. 덕분에 우리 집 정원에서 어머니가 키우는 곳만 다채로웠고 수시로 바뀌었다. 식물에 별 관심이 없던 나는 예전이나 지금이나 뭐가 바뀌었는지도 눈치를 채지 못한다.

어머니는 정원의 모든 식물이 내 자식이라고 했다.

밥그릇을 깨끗이 비운 나는 2층으로 가서 옷을 골라 입고 내려와 차고로 갔다. 오늘은 컨버터블을 타볼까. 아우디와 쿠페 중 무엇을 탈지 고민하다, 여러 대의 차를 지나 빨간색 미니 쿠페 쪽으로 가서 문을 열고 앉았다. 항상 탈 때마다 느끼는 거지만 쿠페의 동그란 계기판은 무척 귀엽다. 이 계기판 때문에 쿠페만 타면 내가 마치 파일럿이 된 기분이 든다. 빨간 자동차를 탔다는 생각에 어린 시절로 돌아가는 것만 같다. 빨간색은 그런 힘이 있다. 동심으로 돌아가게 하는.

버튼을 누르자 차고 문이 열렸다. 차고 안으로 빛이 가득 들어와 눈을 찌푸리게 했다. 나는 레이밴 선글라스를 끼고 시동을 걸어 밖으로 나가 약속 장소로 향했다. 열정적으로 뜨거운 날씨와는 다르게 나는 차분했다.

2

서울에서 강원도로 가는 도로는 꼬불꼬불하고 경사가 있었다. 아스팔트 도로가 살아있는 것처럼 따뜻하여, 지금 나는 자고 있는 용의 등 위에서 운전하고 있는 상상을 했다. 백미러에는 전세버스가 커다란 몸집으로 내 차를 따라오는 것이 보였다. 그 뒤에는 요리사들이 있는 차 두 대가 따라왔다. 세 시간 정도 지났을까. 드디어 산 중턱쯤에 있는 캠핑장에 도착했다. 차에서 내리니 살짝 어지러웠다. 쉬지 않고 계속 운전을 해서였다. 운전은 알게 모르게 긴장감을 줘서 피곤해지지만, 기분 좋은 피로감을 준다. 그래서 나는 가족 중에 유일하게 직접 운전을 한다.

넓은 캠핑장 옆에는 바위로 된 산과 잔잔한 물가가 보였고 큼직한 텐트 두 개가 물가 가까이 있었다. 카라반도 있고 자그마한 별장도 있었다. 좀 더 물가에서 떨어지면 숲이 있었는데, 숲

속 나무 사이사이마다 해먹 침대도 설치되어 있었다. 파티 플래너는 미리 와서 완벽하게 준비를 해놓았다. 기다란 테이블에는 빨간색과 금색이 섞인 멋스러운 식탁보가 깔려 있었고, 풍선, 꽃, 보드 게임, 분위기가 나는 모닥불이 파티를 위해 다양하게 준비되어 있었다.

나는 차에 내리자마자 수영복만 빼고 옷을 전부 벗어버린 후 물가로 달려들었다. 이럴 줄 알고 미리 집에서 속옷 대신 수영복을 입고 나왔다. 물에 몸을 집어던지자마자, 손끝까지 짜릿한 시원함이 느껴졌다.

나는 여름을 좋아했다. 내 생일이 여름에 있기도 하고, 오직 여름에만 시원함을 제대로 느낄 수 있기 때문이다. 겨울의 차가움은 싫다. 시원함과 차가움은 완전히 다른 성질의 것처럼 느껴진다.

버스에서 내린 남자들도 나를 따라 재빨리 수영복으로 갈아입고 소리를 지르며 물가에 뛰어들었다. 여자들도 텐트 속에서 수영복으로 갈아입고 나와 물가로 들어왔다. 계곡에는 금세 사람이 득실거렸고 어린애같이 물장난을 쳤다. 웃음소리가 요란스러웠다. 나는 잠시 하던 행동을 멈추고 사람들을 지켜봤다. 내가 장난을 치는 것보다, 사람들의 즐거워하는 모습을 보는 것이 나를 더 즐겁게 했다.

요리사들은 차에서 재료를 꺼내 손질하기 시작했다. 우리는 게임을 하며 놀았고 나는 도중에 물가에서 나와 요리사에게 본격적으로 요리를 준비해달라고 하였다. 그리고는 나는 물가 근처 의자에 누워 일광욕을 했다. 몇몇 남자들도 내 옆으로 와 시시껄

렁한 대화를 하기도 했다. 차, 스포츠, 운동, 회사, 취업걱정, 여자에 대한 이런저런 이야기들. 나는 말을 많이 하는 것을 싫어하여 눈을 지그시 감고 햇빛을 온몸으로 쬐며 잠자코 듣기만 했다. 그러다 그릴 위에서 지글지글 구워지고 있는 고기 냄새와 소리에 하나 둘씩 물가에서 나와 요리가 놓아질 테이블 옆 의자에 앉아서 맛있는 요리를 기다렸다. 등갈비, 안심 스테이크, 항정살, 삼겹살, 해산물, 야채, 크림파스타와 토마토파스타 등 각종 요리가 기다란 테이블 가득 놓여졌다. 뷔페처럼 차려진 광경에 사람들은 행복한 비명을 질렀고 음식을 접시에 담느라 바빴다.

조금씩 골고루 음식을 담았던 나는 남들보다 빨리 먹은 후, 수저를 놓고 즐거워하는 그들을 구경했다. 게걸스럽고 요란하게 먹었지만 얼굴에는 웃음이 떠나질 않았다. 그들은 행복해보였다. 몇몇 남자는 먹으면서 맘에 드는 여자에게 음식을 덜어주고 얼굴에 묻은 것을 닦아주는 등 챙겨주느라 바빠 보였다. 나는 그런 행동과 서로 주고받는 눈빛을 놓치지 않았다. 예상대로 내 계획은 진행되고 있었다. 어쩌면 나는 권태 때문에 지독한 악취미를 가지게 된 것 같다.

여기 온 사람들은 대략 35명 정도 되는데, 10명 정도가 여자였고, 나머지가 남자였다. 중·고등학교 동창, 대학교 동창, 회사 동료, 선배나 후배, 와인 모임 등에서 알게 된 사람들이었다. 여자들은 모두 매력적이었다. 여기에 있는 남자들이 보기에는. 나는 그다지 여자에 흥미가 들지 않았다. 흥미가 들어도 지성이나 그 사람 자체가 아닌, 단지 남자의 본능에 의한 것이었다.

배는 찼지만 입이 심심하여 랍스터에 붙은 짭짤한 살을 파먹고 있는데, 갑자기 남자 한 명이 생크림케이크를 들고 내 앞에 나타났고 신호에 맞춰 모두 생일 노래를 불러주었다. 나는 얼떨떨해하며 고마워, 고맙습니다, 라고 말하고 28개의 초에 붙은 불을 입김을 불어 껐다.

28개의 초… 아! 아직도 내가 28살 밖에 안됐다니. 살아야 할 날이 지금 살아온 것의 대략 두 배만큼 남았다. 새삼 내 젊은 나이가 실감이 났다. 미래가 까마득하게 남았다. 내게 미래란, 남산만큼 큰 바위를 쪼개고 쪼개서 모래로 만드는 작업과 같다. 아름답지도 신나지도 않은 처절하고 지겨운 작업. 바위를 모래로 만드는 것에는 아무 희망도, 의미도 없다. 앞으로 남은 미래는 어떤 일로 채워야 할까. 또 어떤 일이 채워지게 될까.

레드 와인을 한 병 따서 한 사람씩 따라주었다. 이미 칵테일과 위스키, 분위기와 배부름에 취한 사람들은 와인을 따라주는 나를 보며 과장된 목소리로 축하한다고 연신 외쳐댔다. 적당히 이야기를 나누고 자리로 다시 돌아온 나는 케이크를 먹다가 와글와글한 사람들 속에서 빠져나와 물가에 있는 의자에 앉았다. 드디어 주위가 조용해졌고 나는 다시 차분해졌다.

여름이라 아직 밝았지만 하늘의 빛은 서서히 빠져나가고 있는 중이었다. 습한 공기 속에 살랑거리는 바람이 가볍게 쓰다듬어주듯 불어주어 기분이 한결 상쾌해졌다. 모든 근심이 날아 가버리는 것 같았다. 이 순간만큼은 모든 광경이 너무나 낭만적으로 느껴졌다. 이게 바로 여름이라는 계절의 힘이다. 모든 걸 따뜻하게 데워 낭만적으로 만드는 힘. 해는 천천히 넘어갔기에 주황빛 노을이 하늘에 머물렀고, 아직 열기가 남아 있는 바닥에서는 한가로운 냄새가 위로 올라와 온몸을 노곤하게 만들었다. 계곡물은 맑았고 바위틈에 자라난 푸르른 나무들은 험한 곳에서 살아가는 걸 자랑스러워하듯 기분이 좋아보였다. 만약 어머니가 저걸 보았다면 놀라워했을 것이다. 자신이 키우는 식물은 정성을 들여도 죽는데, 저 나무들은 딱딱한 바위틈을 비집고 한 줌의 흙만으로도 힘차게 자라고 있다고 말했을 것이다.

오늘 아침에 어머니의 칙칙한 얼굴이 왠지 마음에 걸렸다. 친한 친구라는 말이 어머니의 입에서 나온 건 처음이라 그것도 꺼림칙했다. 원래 그런 걸 물어보실 분이 아닌데. 그나저나 **친하다**는 게 정말 무엇일까? 그 기준은 어떻게 측정해야 하나. 단어의 뜻이 있어도 단어가 갖는 기준은 사람마다 천차만별이다. 언어는 단지, 뭐라 불러야할지 모르는 것들에게 적당히 이름을 붙여놓은 것뿐이니깐. 난 그렇게 생각한다.

혼자 여유를 즐기고 있는데, 무리들 속에서 여자 한 명이 내 옆으로 와 생각하는 것을 멈추어야 했다. 외국어 때문에 잠시 다닌 어학원에서 알고 지낸 여자였다. 금발로 염색한 머리카락을 쓸어 넘기며 말을 걸어왔다.

"건희야. 여기서 혼자 뭐하고 있어?"

"배불러서 잠깐 빠져나왔어."

나는 손으로 배를 쓰다듬으며 배부른 시늉을 했다.

"얼마 안 먹은 것 같던데."

"그렇게 많이 먹는 편이 아니라서."

"그럼 우리 물가에서 수영이나 할래?"

그렇게 내키지는 않았지만 나쁘지도 않은 제안이었다. 긍정의 대답을 한 후, 나는 입고 있던 웃통을 벗어 재끼고 여자애는 수영복 차림에 비치타월이 몸에 둘러져 있어서, 타월만 의자에 가지런히 두고서는 물 안으로 들어갔다. 수영복은 검은색 비키니였다. 어깨끈이 없어서 금방이라도 벗겨질 것 같이 아슬아슬해 보였다. 계곡에서까지 비키니를 입을 필요가 있었을까. 부조화였다. 비키니는 절대적으로 바다와 어울린다고 생각한다. 하지만 비키니는 시선을 끌기에 충분했다.

나는 투명한 물속에서 가만히 둥둥 떠다녔다. 하늘은 아까보다 어둡고 석양빛이 돌았고 물은 더 차가워져 있었다. 내가 계속 멀리 갔는데도, 여자애는 내 옆에서 떠나지를 않고 말을 걸었다. 살짝 감겼다 뜨는 눈은 촉촉이 젖어있었고 광대 앞쪽은 계속 웃느라 튀어나와 있었다. 그리고 말을 할 때, 소리를 몸 쪽으로 끌어당기는 듯 신음소리를 섞어냈고 몸의 움직임은 흐느적거렸다. 종합적으로 여자의 행동을 보았을 때, 내게 호감이 있는 모양이었다. 나는 금방 남의 기분을 눈치 채고 그에 맞는 행동을 취할 수 있었다(아마도). 지금 나에 대한 여자애의 감정은 내가 손가락만 살짝 찔러도 깨져버릴 금이 간 계란처럼 보였다. 여자애는 조각나버린 이성(절제)이라는 껍질로 간신히 버티고 있었다. 아, 여자애의 이름은 미영이다.

미영은 자주 상체를 물 밖으로 빼서 가슴을 강조하는 몸짓을 보였다. 가슴골은 엉덩이처럼 살포시 모아져있었다. 의도하지 않았지만 나는 자꾸 그쪽으로 시선이 갔다.

"춥지 않아? 너 감기 걸리겠다."

나는 걱정하는 말투로 미영에게 말했다.

"별로 안 추운데?"

"너 살에 닭살 돋은 것 같아."

나는 오른손으로 미영의 왼팔을 스치듯이 가볍게 쓰다듬었다. 미영의 얼굴은 갑자기 붉어지며 부끄러워했다.

"괜찮아. 근데 너 손 따뜻하다."

"내 손?"

나는 이제 두 손으로 미영의 어깨를 살포시 감쌌다.

"어깨가 차갑네. 정말 괜찮아?"

미영은 내가 어깨를 만지자 벅차오르는 듯 보였다. 나는 미영을 데리고 슬슬 사람 없는 쪽으로 유도했다.

"원래 몸이 평소에 차가운 편이야."

"그럼 감기도 자주 걸리겠네."

나는 걱정스럽다는 듯 미영을 쳐다보았다.

"응. 아무래도? 비염도 있으니까."

나는 손으로 미영의 코를 살짝 잡아보았다. 그러자 미영은 당황하여 어쩔 줄 몰라 했다.

"코가 차가워."

"응…"

미영의 눈알은 한 곳에 정착하지 못하고 요리조리 돌아갔다. 나는 잠깐 고개를 들어 하늘을 보았다. 하늘에서 떠돌던 석양은 없어지고 어느새 밤바다처럼 남색으로 물들어가고 있었다.

"벌써 어두워졌어."

"응…"

미영은 젖은 금발을 쓸어 넘겼다. 머리 뿌리 쪽이 까맸다. 목선에는 조그마한 글자가 있는 문신이 새겨져있고 귓바퀴에는 피어싱이 주렁주렁 달려있었다. 미영은 나를 뚫어지게 쳐다보았다. 나도 미영의 눈을 바라보았고 미영은 쑥스러워하면서도 내 눈을 피하지 않았다. 그녀의 동공은 미세하게 흔들리고 있었다.

"안아줄까?"

"뭐?"

미영은 갑작스런 내 말에 화들짝 놀랐다.

나는 아무 말 없이 미영을 살짝 안아보았다. 내 가슴팍으로 폭신한 미영의 가슴과 물기와 차가운 살결이 느껴졌다. 저항하지 않던 미영은 가만히 있다가 손에 힘을 주면서 내 등을 감싸 안았다. 역시, 내 예상은 틀리지 않아. 나는 아랫입술을 살짝 깨물었다.

"건희야… 따뜻해."

나는 안은 손을 풀고 미영의 얼굴을 감싸 천천히 다가갔다. 미영의 눈을 쳐다보며 천천히. 동의를 암시하는 눈빛이 보였다. 거부하지 않는 걸 확인하고 부드럽게 입을 맞췄다. 한참을 그러다가 밖으로 나와 숲 쪽으로 미영의 손을 잡아끌었다. 미영에겐 거부라는 것이 없었다. 사람들은 이미 저 멀리 점으로 보였고 내 몸도 슬슬 뜨거워졌다. 모든 일이 술술 진행되었다.

숲 속, 차가운 흙에 미영을 눕혔다. 미영은 추운지 덜덜 떨고 있었다. 나는 부드럽게 미영의 몸을 안았다. 그리고 입을 맞추며 비키니를 벗겼다. 미영은 감정이 폭발하는 눈빛으로 나를 쳐다보았다. 그 눈빛은 미영의 몸 주위에 애틋한 분위기가 돌게 했다. 하지만 그 분위기를 감지한 순간, 나는 나도 모르게 욱하고 거부감이 튀어나왔다.

정말 왜 이렇게 모든 일이 쉽지? 갑자기 흥미가 뚝 떨어져버려 김이 새버렸다. 나는 미영에게 다시 비키니를 입혀주며 추우니까 이만 들어가자고 했다. 미영은 어리둥절해하며 왜 그러냐고 물었고 나는 솔직하게 내키지 않는다고 말했다. 안색이 싸늘하게 변한 미영은 잠시 서 있다가, 자기 먼저 들어간다고 하고서는 나의 대답도 듣지 않은 채 사람들 쪽으로 빠르게 뛰어 가버렸다.

뺨이라도 한 대 때렸으면 다시 흥미가 생겼을 지도 모르는데. 분명 기분이 상했을 텐데 왜 이렇게 잘 참는지 모르겠다.

나는 당장 사람들 쪽으로 가기 거북해서 숲에서 산책이나 하다가 들어가야겠다고 생각했다. 주위를 둘러보니 인적이 드물어 풀이 아무렇게나 무성히 자라있었다. 나무들의 모습은 다 똑같았는데 이름은 모르겠다. 어둑해져서 그런지 어디선가 불쑥 무언가가 튀어나올 것 같았다. 조용한 숲에서 천천히 걸으며 내 발이 풀을 밟는 소리를 듣는데, 멀리서 이질적인 소리가 들려왔다.

무슨 소리지? 종소리 같았다. 이런 숲에 종이 있나? 나는 소리에 이끌려 소리가 나는 쪽으로 걷기 시작했다. 소리는 주기적으로 숲에 울려 퍼졌다. 신경을 곤두세우며 점점 가까이 가서 들어보니, 종소리가 아니라 자전거 경적소리 같았다. 띠링띠링. 소리에 이끌려 계속 걷다가, 커다란 나무들 옆에 있는 캄캄한 구멍 하나를 발견했다. 동굴 입구였다.

동굴에서는 빛이 새어나오고 있고, 경적소리가 더 뚜렷이 들리고 있었다. 저기서 소리가 나는 것이 분명했다. 동굴 속에서 무엇을 하고 있는 걸까. 설마 저 동굴에 좀비나 외계인이 있는 건 아니겠지? 안에는 무엇이 있을까? 크기는 클까? 왠지 으스스했지만 호기심이 물밀듯 들어와 마음 구석 한쪽에 있는 두려움을 밀어내버려, 마음이 굳건해진 나는 동굴 속으로 살며시 고개를 내밀었다.

누가 여기에 왔다 갔는지, 천장 가운데에 떡 하니 전등이 하나 달려 있어서 흐릿하지만 형태는 잘 보였다. 들어다본 동굴은 중형차 네 대 정도의 크기였다. 입구에서부터 이어진 길이 중간에 끊겨 있었고 왼쪽 사선으로 다른 출구가 보였다. 사선에 있는 출구 쪽에도 내가 있는 입구와 마찬가지로 길이 가다 잘려있었다. 동굴에는 아무도 없는 걸 확인하고선 살금살금 들어갔다. 잘려진 길은 성인의 평균 신장만큼 나있었다. 키가 180센티미터인 내가 누우면 아마 발만 동굴 밖으로 나갔을 것이다. 사선의 출구도 딱 그만큼만 길이 있었고, 동굴은 가로세로의 길이가 비슷한 정사각형의 형태를 띠고 있고 모퉁이가 동그스름했다. 그리고 가운데에는 깊이를 모를 검은 물이 출렁였다.

띠링띠링. 경적소리는 여전히 울렸다. 아주 가까이서. 아마도 반대편 출구 가까이서 나는 것 같다. 반대편 출구 오른쪽, 그러니까 내가 있는 곳 바로 맞은편에는 동굴 속으로 이어지는 구멍이 세 개가 있었는데 구멍 바로 밑까지 물이 넘실거리고 있었다. 음산한 분위기에, 왠지 검은 구멍 속에는 어렸을 때 보았던 소설 속에 나오는 다른 세계로 이어지는 통로가 있을 것만 같았다. 구멍으로 한 번 들어가 보고 싶었지만 저기로 건너갈 방법이 없었다. 물은 아주 깊어 보였고, 내가 밟고 있는 길과 물의 표면은 너무 멀리 떨어져 있어서 내가 물에 들어가면 다시 길로 올라올

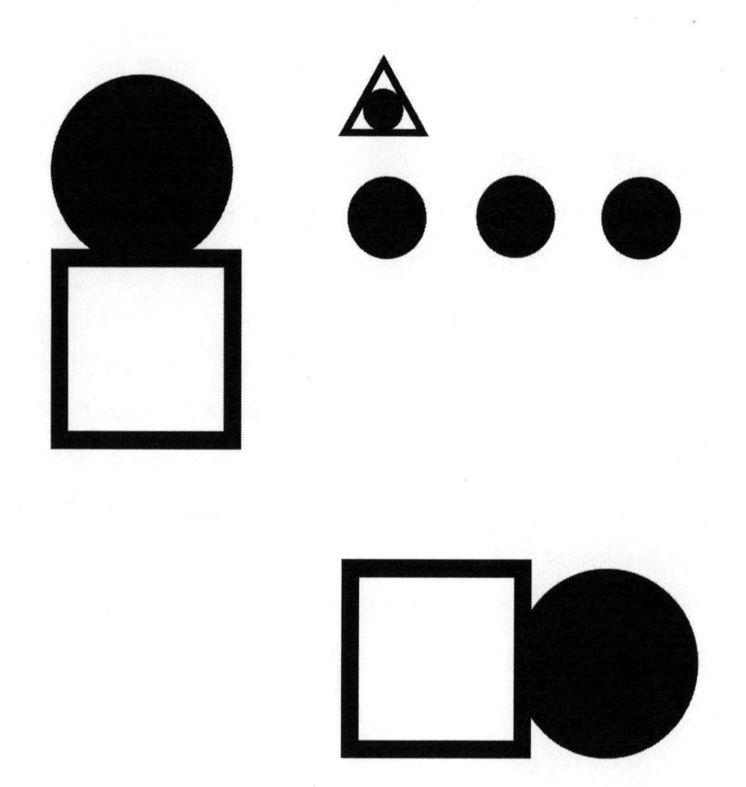

방법이 없었다.

소리는 점점 커졌다. 내 귀에 쩌렁쩌렁하게 소리가 들려 아주 가까이에 있는 것 같았다. 그럴수록 내 심장 박동은 빨라졌다. 그 때, 경적소리가 실제로 눈에 보이기 시작했다. 자전거 앞바퀴가 건너편 출구에서 보이는 것이었다. 소리를 따라 여기까지 오기는 했지만, 실제로 소리의 근원지인 자전거를 보니 나는 화들짝 놀라 뒷걸음질하여 동굴 벽 쪽으로 등을 붙였다. 가슴이 터질 것 같았다. 이런 긴장감은 난생 처음이었다. 이제 경적소리는 구렁이처럼 내 몸을 칭칭 감았다. 온 몸이 바싹 얼어 누가 자전거를 끄는지 그것에만 온 신경을 집중했다.

서서히 뒷바퀴까지, 자전거 전체가 들어왔다. 옛날 시골 자전거였다. 안경을 쓴 마른 남자가 자전거를 타고 있었다. 머리가 작고 안경 속에 눈은 큼지막했다. 길 끝에 가서 자전거를 멈추고, 남자는 건너편 나를 무표정으로 쳐다보았다. 남자의 기묘한 인상이 내가 지금 서있는 이 공간을 뒤죽박죽 섞어놓았다. 이제 경적소리는 울리지 않았다. 남자는 자전거에서 내렸지만 아직 손을 떼지 않고 가만히 나를 바라보았다. 남자는 키가 크고 군인처럼 머리가 짧았으며 팔다리가 길고 몸이 곧았다. 거리가 꽤 되는데도 남자의 눈이 반짝반짝 빛나고 있다는 것을 볼 수 있었다. 20대 초반 정도 되었을까. 잘 모르겠다. 내 또래인 것 같으면서도 어딘가 중후함이 느껴졌다. 아직 소년티가 났지만, 그 모습 속에는 당장에 사람 한 명을 죽여도 끄떡도 하지 않을 것 같은 냉정함이 서려있었다. 그래서인지 나를 쳐다보는 맑은 눈빛은 나를 다 꿰뚫어보는 것 같아 몸이 잘 움직여지지 않았다. 날카로운 칼이 바로 눈앞에 있는 느낌이었다. 아니면 무시무시한 무늬를 가지고 있는 호랑이와 마주친 것만 같았다. 이런 중압감은 처음이었다. 머릿속이 하얘졌고 숨도 못 쉴 지경이었다. 지금 상황이 완전히 비현실적이라고 느껴졌다.

나는 짐승처럼 바짝 몸을 긴장하여 혹시 모를 공격에 대비했다. 내 귀에는 나의 거친 숨소리밖에 들리지 않았다. 이런 나에 비해 남자는 여유로워보였다. 눈 하나 깜짝 안하고, 나를 찬찬히 훑어보고선 뒷바퀴에 있는 지지대를 살포시 내린 후, 무릎을 꿇고 엎드려 손을 물 쪽으로 뻗었다. 그리고 믿기지 않는 일이 벌어졌다.

그 남자의 손끝에 의해 물이 꽁꽁 얼어버렸다. 3초도 안돼서.

나는 그 광경에 칼에 베인 것처럼 욱신거렸고, 등줄기에서부터 말초신경까지 소름이 끼쳤다.

남자는 아무렇지 않은 듯 무릎을 툭툭 털고 일어나서 지지대를 올리고 다시 자전거에 올라탔다. 남자는 그대로 바퀴를 굴리며 얼음 쪽으로 내려갔다. 얼음에 부딪혀 쾅 소리가 두 번이나 났지만 얼음은 깨지지 않았다. 처음부터 지금까지, 남자의 모든 행동은 하나의 우아한 행동처럼 매끄럽게 이어졌다. 남자는 나를 쳐다보며 자전거 핸들을 내 쪽으로 향한 채 바퀴를 굴렸다. 띠링 띠링. 경적소리도 여러 번 냈다. 무표정으로 나에게 가까이 다가오는 남자의 모습에 나는 저절로 덜덜 떨렸다. 남자는 그런 나를 보고 싱긋 미소를 짓고서 왼쪽으로 방향을 틀어 첫 번째 구멍으로 쏙 들어갔다.

내가 혹시 꿈을 꾸고 있는 건 아닐까? 무릎이 풀려 주저앉아 자전거가 들어간 구멍을 멍하니 쳐다보았다. 띠링띠링. 들어간 구멍에서 자전거 경적소리가 났다. 나보고 따라오라는 걸까? 경적소리는 점점 작아져 아예 들리지 않게 되었다…

나는 경적소리가 없어지자 이상한 주문에 걸렸다가 풀린 듯 마음이 차분해지기 시작했다. 그러자 다시 호기심이 생겼다. 저 기묘한 남자는 누구이고, 저 곳엔 도대체 무엇이 있을까. 너무 궁금했다. 정체가 뭐기에 이렇게 사람을 긴장시키는 걸까. 혹시 사람으로 변장한 외계인은 아닐까? 남자가 들어간 어두운 구멍에만 온 신경이 집중되었다.

한참동안 고민을 한 끝에, 나는 마음을 가다듬고 옷매무새를 정리한 후, 얼음 쪽으로 내려갔다. 쾅하는 소리와 함께 미끄러져 엉덩방아를 찧고 말았다. 아프긴 했지만 얼음이 쉽게 깨지지 않는다는 것을 확인할 수 있었다. 내려와서 내가 있었던 길을 올려다보니, 꽤 높았다. 하지만 물이 길 쪽으로 경사가 올라가면서 얼었기 때문에, 얼음을 딛고 힘껏 높이 뛰면 다시 길 위로 올라갈 수 있을 것 같았다. 일단 그것에는 안심이 들어, 담담해졌다. 이제 저 구멍에만 들어가면 된다. 구멍은 캄캄하여 하나의 커다란 점으로 보였다. 빛이라고는 보이지 않았다.

왜 그런지는 모르겠지만 이상하게도 나는 저 구멍으로 들어가면, 풀리지 않는 권태를 끝낼 수 있을 거라는 강한 예감이 들었다. 이 순간이 내 인생의 전환점이 될 것 같다는 확신. 왜 그런 확신감이 들었는지 모르겠다. 저 커다란 점은 블랙홀처럼 나를 끌어당기고 있었다. 지금 이 순간, 이 구멍에 들어가 저 남자를 쫓아가지 않고 다시 일상으로 돌아간다면 나는 영원히 후회할 것 같았다. 나는 이제 아무 생각이 없었다. 저 구멍으로 들어가고 싶다는 생각 말고는.

나는 허리를 살짝 숙여 조심스럽게 머리부터 구멍으로 들어갔다. 쾨쾨한 냄새가 났다. 어깨, 허리, 그리고 발까지 시커먼 구멍으로 집어넣었다. 바닥은 젤리라도 있는지 이상하게 물컹거렸지만 기분이 나쁠 정도는 아니었다. 얼음이 있는 동굴에는 이제 아무도 없게 되었다.

3

동굴의 길이는 의외로 길었다. 손으로 벽을 짚으면서 가고 싶었지만, 아무 것도 보이지 않고 폭도 넓어서 벽이 어디 있는지 가늠이 가지 않았다. 마치 허공에서 걷는 느낌이었다.

계속해서 걸어도 끝이 나오지 않았고, 허리도 아파오고 슬슬 지루해졌다. 이렇게 깊고 넓은 동굴이 있는데 아무런 표지판도 없는 걸 봐서는 사람들한테 알려져 있지 않은 것 같다. 그 점이 이상했다. 이 동굴을 발견하지 못할 수가 있나? 희미하게 울렸던 경적소리는 이제 울리지 않았다. 뒤를 돌아보면, 입구 쪽에서 새어나오는 빛도 어느새 조그만 점처럼 까마득하게 보였다. 동굴 안은 너무 깜깜해서 내 손도 보이지 않았다. 게다가 너무 습하여 온몸이 물로 변한 느낌이 들었다.

몸의 형태가 보이지 않은지 오래 되자, 나는 동굴에서 둥둥 떠다니는 유령처럼 느껴져 공포가 엄습했지만, 오히려 난 거기서 짜릿한 쾌감과 해방감을 느꼈다. 몸에서 벗어나 물처럼 흐르는 느낌이 편안했다. 하지만 그 감정도 잠시였고, 아무리 걸어도 끝이 나오지 않고 온통 검은색 어둠만 보였다. 나는 조금씩 지쳐갔지만 그렇다고 다시 뒤로 돌아갈 수도 없었다. 돌아가기엔 이미 너무 멀리 와버렸다. 이왕이면 끝을 보고 가야 직성이 풀릴 것 같다. 혼잡해지는 마음을 무시하고 계속 깊숙하게 들어갔다. 동굴은 축축하고 추웠다. 옷이라고는 중요부위만 가린 수영복이 다였다. 동굴의 한기와 습기, 어둠을 맨몸으로 흡수하며 걷고 또 걸었다. 발걸음을 멈추지 않았다.

시간이 얼마나 지났을까, 결국 몸의 감각이 무너져 내리자, 내 자신이 어둠으로 변해버린 것 같았다. 조그만 검은 덩어리로 바뀐 나를, 동굴 속에서 길고 넓게 늘여서 동굴에 가득 채운 것만 같았다. 동굴 속 어둠이 전부 나였다. 정신은 몽롱하고 희미해졌다. 정신을 거의 잃었다는 것이 맞는 표현일 것 같다.

얼마나 걸었는지 모르겠다. 1시간일지 2시간일지, 이젠 이성이 흐려져 시간도 모르겠고 방향감각도 없어졌다. 이미 입구의 빛도 없어진지 오래다. 아직도 앞에는 어둠 말곤 눈곱만큼의 빛도 보이지 않는다. 여기에 있는 거라곤 내 숨소리, 발자국 소리와 차가움과 어두움이었다. 난 아무 생각 없이 생각을 못하는 기계처럼 계속 걷기만 했다.

너무 지쳐 아사되기 일보 직전, 띠링띠링. 경적 소리가 들렸다. 어디서 나는 거지? 잠시 멈춰서 고개를 이리저리 돌려봤다. 그러다 다시 앞을 보니, 저 멀리서 좀 전까지 보이지 않던 하얀 점이 조그맣게 보였다. 빛이었다. 그걸 보자 구석에서 웅크리고 있던 정신이 벌떡 일어섰고 몸의 윤곽을 부여받아 내 피부와 빛의 경계선을 느낄 수 있었다. 이제 선명하게 보이는 내 발은 그쪽으로 뛰어가기 시작했다. 하얀 점은 점점 커졌고, 눈을 뜰 수 없을 정도로 밝아진 빛은 완전히 내 전신을 덮쳤다. 나는 아랑곳하지 않고 눈을 감은 채 계속 뛰었다. 온 몸의 땀구멍이 전부 열려 빛을 있는 대로 받아들였다.

드디어 동굴 밖으로 나왔다. 미끌거리던 동굴과는 달리 딱딱한 바닥이 발에 느껴져 동굴에서 빠져나온 것이 실감났다. 눈이 부셔 한참 눈을 뜨지 못하고 있었는데, 누군가의 목소리가 들려왔다.

"너 뭐야?" 쏘아붙이는 남자의 목소리. "여기 어떻게 온 거야?"

갑자기 머리가 띵하니 어지럽고 눈앞이 깜깜해졌다. 손가락과 발가락 끝으로 피가 다 빠져나가는 느낌이 들었다. 분명히 난 밖으로 나왔는데 왜 아까 보았던 빛이 보이질 않지… 몸이 마음대로 움직여지지 않고 몸 전체의 촉각이 마비됐다. 촉각뿐만 아니라 모든 오감이 사라졌다. 눈꺼풀이 감겼는지도 잘 모르겠다. 여전히 눈앞은 캄캄하고 몸은 붕 떠있어서 내 몸이 아닌 것만 같았다. 귀는 먹먹하여 아무 소리도 들리지 않다가, 바닥에 쿵하고 무언가 떨어지는 소리가 웅웅 들렸다.

나는 정신을 잃고 어딘지 모를 깊은 어둠 속으로 떨어진 것 같았다.

다시 정신을 차려 실눈을 뜨니, 하얀 수염을 기른 할아버지의 얼굴이 보였다. 그가 내 뺨을 세차게 때리고 있었다.

"정신이 들어?"

나는 있는 힘껏 얼굴을 찌푸리며 정신을 차리려고 했다.

"어떻게 된 거지?"

"어떻게 되긴. 갑자기 여기 들어와서는 기절해버렸잖아."

아까의 쿵 소리가 내 뒤통수가 부딪치는 소리였나 보다. 뒤통수가 얼얼했다. 손을 바닥에 짚어 상반신을 일으키려고 하니 몸의 여기저기가 쑤셨다.

"아, 그렇구나."

얼떨떨했다. 기억이 전부 초기화라도 돼버린 듯 정신을 차리지 못했다. 다른 세상에 떨어진 것만 같았다.

"자네 누구야? 여기 어떻게 왔어? 왜 발가벗고 있는 거야!"

할아버지는 내 상반신을 부축하여 일으켜준 다음, 팔을 주무르고 등을 두들겨주었다. 빨리 정신을 차려서 묻는 말에 대답하라는 신호 같았다. 미간을 찌푸리며 나는 기억을 더듬어야 했다. 나는 누구이고 여기는 어딘지, 여기까지 어떻게 오게 된 건지, 멍 때리며 잠시 머리를 회전시켰다. 순간의 장면들이 뇌리에 스쳐지나갔다.

경적 소리가 들려 그 소리가 나는 쪽으로 걸어갔더니 숲 속에 동굴이 있었다. 그 동굴에 들어가니 어떤 기묘한 느낌의 남자가 자전거를 타고 있었고, 그 남자는 동굴 속 물을 얼려 동굴 안의 통로로 들어갔다. 궁금했던 나도 그 통로로 들어갔고 계속 걸었다. 걸어도 끝이 보이지 않았다. 몸이 거의 마비가 될 때까지 걷고 걸었다.

기억한 걸 그대로 할아버지에게 말해주었다. 정신을 어느 정도 차리고 할아버지를 가까이에서 다시 보니, 피부나 느낌으로 봤을 때 나이는 50대정도로 보였다. 아저씨라고 불러야 하나? 하지만 덥수룩한 하얀 수염과 머리를 봤을 때는 할아버지라고 불러야 할 것 같다. 인조수염을 달아놓은 것처럼 얼굴과 조화롭지 못했다. 할아버지는 위 아래로 모시인지 삼베인지 구분이 안 되는 소재의 옷을 입고 있었다. 그리고 옷 위에 검은 정장 자켓을 걸쳤다. 그 옷들은 전부 고급스러워보였다. 숱이 풍성한 백발에 못난 주름도 없고 피부가 아직 탱탱해서, 부잣집에서 태어나 고생 한 번 없이 곱게 늙은 인상이었다. 동굴은 2미터 정도의 높이에 성인 8명 정도가 앉으면 꽉 찰 넓이였다. 푹신한 안락의자 하나가 흔들거리고 있고 바닥에는 휴대용 전등이 놓여 있었다. 동굴 한쪽 벽에는 문도 달려 있었다.

"아니, 저 구멍을 통과해서 여기로 온 거야?"

할아버지는 눈을 크게 뜨며 말했다. 할아버지의 눈빛은 고상하고 우아한 느낌이 들었다. 나는 그 눈빛에 잠시 주눅이 들었다.

"네. 혹시 자전거 탄 남자 못 보셨어요?"

"난 못 봤는데. 소리를 들어본 적도 없어. 구멍을 통해서 저 너머로 간 적도 없고."

할아버지는 잠시 침묵하고선 가만히 나를 훑어보다가, 다시 입을 열었다.

"그나저나 호기심 때문에 이 아무 것도 안 보이는 시커먼 구멍을 통과하다니. 정말 대단한 집념을 가지고 있군. 아주 순수한 집념이야."

할아버지는 흡족하다는 듯 나를 보며 고개를 끄덕였다.

"할아버지는 그럼 여기 어떻게 들어오셨어요?"

"저기 문 있잖아. 저기가 입구야."

할아버지는 손으로 문을 가리켰다. 문에는 잠금장치가 달려 있었다.

나는 일어나 문을 열어 보았다. 숲이 보였다. 깜깜한 밤하늘에 별한 개가 빛나고 있었다. 다시 문을 닫고 할아버지 앞에 앉았다. 일어났다가 앉으니 현기증이 났다. 나는 아직도 정신이 말짱하지 못했다.

"여기는 어떻게 알게 된 거에요?"

"나야 말로 묻고 싶네. 여기 뭣 하러 온 거야?"

"저는 오늘 생일이라 생일 파티할 겸 캠핑하러… 아! 깜빡했네. 할아버지, 핸드폰 있으세요?"

나는 나를 찾고 있을 사람들이 떠올랐다.

"없는데."

"시계라도 있으세요?"

"없는데."

"그럼 지금 가지고 있는 것이 뭐에요?"

"내 몸 말고 없어. 자네, 혹시 정신이 이상하다던가, 그런 건 아니지?"

"아니에요! 제가 미친 사람처럼 보이세요?"

"그럼 물이 어떻게 3초도 안 돼서 얼어? 그리고 구멍을 보고 여기까지 온 게 말이 돼? 보통사람이라면 중간에 가다 포기했을 텐데. 아니, 아예 시작도 하지 않은 사람이 태반일 테지. 흠…."

할아버지는 내 눈을 뚫어져라 쳐다보았다. 나 역시 할아버지의 눈을 쳐다보았다. 할아버지는 한 번도 눈을 감지 않았다. 동굴이 어두워서 그런지 할아버지의 눈이 잠깐 회색으로 보였다.

"눈 안에 박힌 점이 강력하구만."

한참을 쳐다보다가 정적을 깨고 할아버지가 말했다.

"네?"

"동공 말이야, 동공. 검은 점."

"점? 동공? 강력?"

"눈을 괜히 마음의 창이라고 하지 않지. 고리타분한 말 같지만 그 말은 영원히 유효할 거야. 자네 그거 아나? 모든 생물의 동공은 모두 검은 색이고, 원형이지. 흑인, 백인, 황인, 고양이 눈, 돌고래 눈, 쥐 눈의 동공, 벌레의 동공, 모두 말이야. 특이하지 않아? 약속이라도 한 듯 죄다 검은 원형이야."

"그러고 보니 그러네요."

"산의 동공은 이 곳, 검은 동굴이지."

"오호, 그럴듯한데요? 그럼 바다는요?"

"바다의 동공은 아주 깊숙한 곳에 있을 거야. 바다는 아직 전부 탐사해보지 않아서 모르겠다."

할아버지는 굉장히 진지했다. 나는 이렇게 진지한 표정으로 진지한 말을 하는 사람을 어디서도 본 적이 없다. 어떤 발성법으로 말을 하는지 모르겠지만, 할아버지의 말은 내 몸과 이 동굴 전체에 힘 있게 울렸다. 그 울림은 내 귀로 들어와 뇌를 거치지 않고 마음 속 어딘가로 깊숙이 들어오는 것 같았다. 친근하고 포근한 느낌도 들어 모든 것을 다 포용해줄 것만 같았다. 리더 타입. 회사에서는 이런 사람을 리더로 세울 것이다. 나는 이 알쏭달쏭한 할아버지가 궁금해졌다.

"할아버지는 뭐 하시는 분이에요?"

"난 생각하는 사람이야."

할아버지는 안락의자에 앉아 흔들거렸다.

"그럼 넌 뭐하는 사람이냐?"

"저요? 저는… 음, 모르겠어요."

내가 뭐하는 사람이지? 이때까지 살아온 과거를 훑어보았지만 한 단어로 정의할 수가 없었다.

"내가 대신 말해줄까? 난 그 사람의 동공을 보면 어떤 사람인지 다 알지."

"네. 말해주세요."

"아니, 그냥 말해주면 너무 쉽잖아?"

할아버지는 손으로 수염을 매만지며 장난스럽게 웃었다.

"나와 약속을 해야 돼."

"무슨 약속이요?"

"들어줄 거야?"

"일단 말해보세요."

"일단, 내 허락 없이 이곳에 다시는 오지마라. 이곳에 누군가가 오면 균열이 깨져버리거든. 그리고 너랑 몇 번 더 만나서 네게 부탁 좀 해야겠다."

할아버지는 부탁이라는 단어에 힘을 주며 말했다. 또렷이 나를 쳐다보는 눈은 흔들림 없이 확고했다.

"제가 왜 할아버지의 부탁을 들어줘야 하죠? 그 부탁이 뭔데요? 균열이 깨진다는 건 또 무슨 소리죠?"

"이 장소에서는 말고, 다른 날, 다른 곳에서 말해줄게. 듣기 싫음 말아. 네가 손해 볼 일은 없을 텐데 말이야. 흐음."

할아버지는 고개를 옆으로 돌려 내가 나온 구멍을 바라보았다. 옆으로 보이는 턱선과 굳게 다문 입은 완고하고 확신에 가득 차 보였다.

나는 제안을 거절할 수가 없었다. 부탁이 무엇인지도 궁금했지만, 할아버지와 이 동굴에 대한 궁금증이 너무 컸다. 이 범상치 않은 분위기를 가진 할아버지는 이 불확실한 세상의 비밀을 다 알고 있는 초인같이 느껴졌다. 또한 이 세상에 있는 고통을 전부 해결해줄 것만 같았다. 혹시 이상한 사람일지도 모른다는 생각조차 들지 않았다. 만난 지 몇 분도 채 안됐지만, 할아버지에게 단숨에 매료되어버린 것이었다. 내게 꼭 필요한 사람이란 것을 난 본능적으로 알 수 있었다. 만약에 누구라도 할아버지를 본다면 '커다란 사람'이라고 느낄 것이다. 거인. 보통 사람과는 차원이 달랐다. 이 사람 앞에서는 내가 한없이 가볍게 느껴졌다. 나는 할아버지와 계속 만나보고 싶었다. 게다가 할아버지의 말대로 내가 손해 볼 일은 없을 것이다. 또, 할아버지는 내가 본인의 부탁을 거절할 수 없으리란 것을 완벽하게 알고 있다. 어차피 나는 이제 무엇을 해도 삶이 지겹고 재미가 없었다. 그런 나의 마음까지 모두 간파해버리지 않았을까. 그래서 혹시 할아버지라면 내 문제를 해결해줄 수도 있지 않을까, 하는 기대도 있었다. 여태껏 나는 이런 사람을 만나지 못해서 권태감이 든 것은 아니었을까?

"아니에요. 할게요. 그 대신 나중에 제가 묻는 모든 걸 말해주세요. 하지만 저 일하느라 시간이 많이 없어요. 아마 주말에만 될 거에요."

할아버지에게 마음이 갔지만, 만만하게 보이고 싶지는 않아 시간이 많이 없다고 말했다. 할아버지는 내 말을 듣자 고개를 돌려 나를 보고선 큰소리로 한참을 웃었다. 웃음소리가 동굴에 쩌렁쩌렁 울려서 나는 귀를 막아야 했다.

"아, **시간** 말하는 건가? 나보다 시간이 더 없겠어? 나는 이제 갈 사람이야. 절대 허투루 낭비하지 않을 테니 안심해."

할아버지는 웃음을 멈추고 말을 이었다.

"시간은 마음먹기에 달려있지. 나는 마음 가지 않는 일엔 절대로 내 시간을 내주지 않아. 고로, 넌 내 마음에 들었다."

"부탁이 이상하면 들어주지 않을 거예요."

나는 으름장을 놨다.

"넌 내 부탁을 들어줄 수밖에 없을 거야. 넌 지금 권태로워서 내게 꽤나 흥미를 느끼고 있거든."

할아버지는 나를 흘겨봤다. 내가 놀라서 어떻게 알았냐고 묻자, 계속 할아버지는 웃기만 했다. 유쾌하다는 듯.

"오랜만에 신나는군. 어쨌든 날이 늦었으니, 내가 가는 길을 알려 줄게, 사람들한테 빨리 돌아가 봐."

"할아버지랑 저랑 어떻게 연락하죠?"

"너 번호를 알려줘. 내가 연락할 테니까."

"종이나 펜 있으세요?"

"몸 밖에 없다니까. 읊어봐. 외울 테니까."

나는 휴대전화 번호를 말했다. 할아버지는 끄덕였지만 왠지 나는 불안해졌다.

"잘 외우실 수 있죠?"

"그럼, 그럼. 나중에 보자고."

할아버지는 가는 길을 알려주기 시작했다. 문에서 나가자마자 왼쪽으로 꺾어서 계속 걸어가면 캠핑장 입구가 나온다고 했다. 듣고 보니 캠핑장과 가까운 거리인 것 같았다.

"그렇게 멀지 않네요?"

"멀지 않지. 아무래도 저 구멍은 이 산을 관통하는 것 같아."

할아버지는 내가 걸어온 구멍을 가리켰다.

"한마디로 자네는 뻘짓한 거지."

할아버지는 또 웃기 시작했다. 웃음이 많은 사람이라고 생각이 들었다.

"사람들이 걱정하겠어. 얼른 가봐."

이제 혼자 있고 싶으니 가보라는 말도 덧붙이며 할아버지는 내 등을 떠밀었다. 나는 꼭 연락 달라고 하며 인사하고 문을 열고 나왔다. 문을 닫고 밖에서 동굴의 겉모습을 바라보니, 그냥 평범한 바위처럼 보였다. 문을 바위처럼 위장시켜 놓은 것이다. 손잡이도 없었다. 나중에 여길 다시 와도 표시를 해놓지 않으면 구분을 못할 것 같았다.

숲은 깜깜했지만 좀 전의 동굴보단 덜했다. 아직도 정신이 온전하지 않아 몸이 붕 떠있는 상태였다. 할아버지가 말한 방향으로 걸으며 아까의 일을 곱씹어봤다. 자전거 탄 소년은 어디로 갔을까? 그 소년은 누구지? 할아버지는 정말로 누구이고 내게 무슨 부탁을 할까. 아까 전에 벌어진 생소한 장면들이 머릿속에서 떠나지 않았고, 아무리 생각해도 답이 나오지 않았다. 하지만 동굴을 발견하여 구멍을 통과했던 것은 아주 잘한 일이라 생각한다. 덕분에 할아버지를 만나게 되었으니깐. 말로만 들은 '귀인'을 만난 느낌이다. 모든 일이 다 잘 풀릴 것만 같았다. 나도 참 무모했지, 그 구멍을 통과했다니.

조용히 흙을 밟으며 걸어가고 있는데, 갑자기 숲에서 어떤 소리가 들렸다. 이번엔 또 뭐지?

아까 전처럼 경적 소리는 아니었다. 귀를 기울이니, 거친 숨소리와 여자의 신음소리가 섞인 소리가 들렸다. 그 소리는 번개처럼 내 귀에 뚜렷하게 꽂혔다. 아하, 나는 곧바로 결론을 내릴 수 있었다. 무엇을 하는지 대충 예상이 되어 살금살금 소리가 나는 쪽으로 갔다. 역시나. 내 예상은 틀리지 않았어. 가까이 갈수록 신음 소리는 크게 들려왔다. 그들에게는 내 발소리가 들리지 않을 것이다. 나는 한숨을 쉬고 고개를 저었다. 어김없이 내 계획이 실현되었구나. 하지만 동굴을 통과하고 돌아오는 지금의 나는, 내가 원했었던, 그 완성된 계획을 외면하고 싶었다. 이제는 이런 계획은 다시는 꾸미지 말아야겠다고 결심했다.

내 경험으론, 작년, 재작년, 그리고 그 몇 년 전까지 생일파티를 보아도, 나를 진심으로 생각해주고 걱정해주는 사람은 없었다. 처음에도 말했듯이, 나는 어렸을 때부터 매년 화려하게 생일

파티를 열었고 많은 일들이 있었다. 생일 때 나는 정말 그 날의 주인공은 나라고 생각했다. 남들 또한 그렇게 생각할 것이라고 확신했다. 하지만 그 생각은 착각이었다. 사람들은 모두 이해심이 적고 이기적이었다.

생일 때마다 매번 친구들이 한아름 가득 내게 선물을 안겨주었지만, 매년 모든 선물이 마음에 들지 않았다. 믹서기, 고데기, 주방 용품, 바비 인형, 전문 서적 등. 친구들은 어린 내게는 전혀 어울리지 않고 누가 생각해도 내가 좋아하지 않을 법한 선물을 주는 것이었다. 나는 혹시나 하며 매년 설렘을 갖고 포장을 뜯어보았지만 매번 실망해야 했다. 하지만 부모님은 내가 받은 선물을 굉장히 좋아하셨다. 비록 내 마음에 들지 않아도 부모님이 저렇게 좋아하시니, 나는 그것으로 조그만 기쁨을 느끼는 것에 만족했다. 어렸을 때는 그랬다.

점점 시간이 가고 내가 15살이 돼서야 친구들이, 그들의 부모님이 골라놓은 선물을 내게 준다는 것을 알게 되었다. 그들의 부모님이 우리 부모님이 좋아할 만한 선물을 자식을 통해 보낸 것이었다. 친구들의 부모님은 우리 부모님에게 잘 보이고 싶어 했다. 나는 내가 아무 것도 아닌 바보처럼 느껴졌다. 난 잘 나가는 아버지의 자식일 뿐인 건가. 아버지와 어머니도 내가 그런 선물을 받고 좋아하지 않은 것을 보았으면서도 내 감정은 무시했다. 난 부모님에게도 아무 것도 아닌 걸까? 허무와 실망감에 몸부림쳐야만 했다. 그 때부터 몰래 아버지의 술에 손을 대기 시작했다. 술을 마시고 취하고 싶었다. 아버지는 항상 술에 취해 늦게 들어오셨는데 기분이 아주 좋아보였기에 나도 술에 취해서 기분이 좋아지고 싶었다. 집에 있는 술은 하나같이 너무 독했다. 그 독한 술을 먹으면 목이 타들어가고 시간이 갈수록 몸의 감각이 희미해졌다. 기분이 좋아지긴 했지만 그 때 뿐이었다. 알딸딸한 상태로 기분 좋게 잠에 들었다가 아침에 눈을 뜨면 더 생생히 느껴지는 현실감… 그것보다 끔찍한 감정을 느낄 수가 없었다. 게다가 속도 어찌나 울렁거리는지. 그 고통을 잊어버리려면 또 술을 먹어야 한다. 나는 이런 악순환의 시스템으로 되어있는 술을 어른들이 왜 그리 좋아하는지 이해할 수가 없었다.

혹은, 그들의 부모님이 아닌 친구들이 직접 고른 선물을 주기도 했지만, 결코 나는 내 생일날 정말로 내가 원하는 걸 받은 적이 한 번도 없었다. 다들 자기 자신이 갖고 싶어 하는 선물을 가져왔고, 그 선물을 받고서 내가 당연히 좋아할 것이라고 생각했다. 나는 너무 달거나 짠 걸 별로 안 좋아하고, 파란색보다는 보라색이나 빨간색을 좋아한다. 고기보다는 해산물을 좋아하고, 실용적인 것 보다는 쓸데없는, 재미있는 물건을 더 좋아한다. 그 누구도 나의 취향을 세심하게 읽어내는 사람이 없었다. 반대로 사람들의 취향을 잘 파악했던 나는 사람들에게 취향에 맞는 선물을 주었고, 사람들은 깜짝 놀라며 기뻐했다. 어쩜 이렇게 자기 마음에 드는 선물을 주냐면서. 내게 조금이나마 위안이 되는 것은 바로, 사람들이 기뻐하며 웃는 그 모습이었다. **대리만족**이랄까.

스무 살이 되는 해에는 남산 언저리에 위치한 호텔에서 생일파티를 했는데, 그 날 이후 사람에 대한 기대는 완전히 사라져버렸다. 혹시 성인이 되어서는 달라지지 않을까 기대를 했었던 것이다. 파티 도중에 주위를 둘러보니 몇 사람이 보이지 않았다. 메인요리를 다 먹고 후식까지 나와도 돌아오지 않자 걱정이 된 나는 호텔을 둘러보기 시작했다. 그날따라 드디어 합법적으로 술을 마실 수 있다는 생각에, 다들 술을 많이 마셔 혹 무슨 사고라도 나진 않았을까 조마조마했다. 그러다 그들의 행방을 아는 사람이 내게 넌지시 귀띔을 해주었고 나는 그 소리에 배신감과 실망감을 느끼지 않을 수 없었다. 그들은 오늘과 마찬가지로 파티가 진행되는 도중에 몰래 나가 위층에 방을 잡고 그 짓, 성관계를 맺고 있던 것이었다. 내가 마음에 들지 않는 선물만 내게 내팽개치고 나가서는, 서로의 몸을 탐닉하느라 돌아오지 않았다. 사람들의 이기심은 내 예상을 뛰어넘었다. 그 사건은 내 마음에 있는 어떤 줄을 끊어놓았다. 나한테만 이런 일이 벌어지는 걸까? 다른 사람은 어떤지 모르겠다. 그 후 나는 사람들에게 생일에 선물을 들고 오지 말라고 했다. 받고 싶지 않았다. 내가 받고 싶은 건 내가 직접 샀다. 실낱같은 기대를 손에서 놔버리니 편했다. 애초부터 그런 기대를 하지 말았어야 했는데. 나는 그 후로 사람을 완전히 믿지 못한다.

기대가 없어진 자리에는 분노가 생겨나, 나는 사람들에게 복수하고 싶어졌다. 나 역시 인간이고 이기적이었다.

일부러 여자에 유독 관심이 많은 남자들과 매력적인 여자들을 많이 모아 1박으로 생일파티에 초대했다. 관계를 할 여지를 위해 여유 공간이 충분한 곳으로 장소를 택했다. 취할 수 있게 술도 충분히 준비했다. 거나하게 취한 그들은 역시나 도중에 빠져나갔고 한 번 당한 나는 멀리서도 그 낌새를 눈치 챘다. 일부러 성관계를 맺는 도중에 사람들과 함께 찾아가서 망신을 주었다. 그들의 당황하는 모습은 정말 꼴불견이었다.

나중에는 그런 것에 어떤 흥분과 쾌감을 느껴 사진까지 찍으며 놀려댔고, 나 역시 그들과 같이 술에 취해 방탕하게 놀기도 했다. 우리에겐 어떤 금기사항도 없었다. 입에 담기도 어려울 만큼 굉장히 자극적이었지만 얼마 안 가 그것도 지겨워져, 이젠 직접 하지 않고 관찰만 했다. 내가 아는 사람들이 관계를 맺는 장면을 몰래 관찰하는 건 흥미로운 일이었다. 내가 이런 것에 쾌감을 느끼는 건가? 그건 아니다. 순전히 나는 차가운 시선으로 그들을 관찰하는 것이다. 그 광경에서 표정, 몸짓, 그들이 느끼는 것을 엿보며 저 사람들은 무슨 생각을 하고 사는지 추측할 뿐이다. 나는 인생에 아무 문제가 없어 보이는 그 사람들하고는 다른 종류의 사람인 것만 같았기 때문이다. 이런 걸 '관음증'이라고 부르기도 한다던데, 그런 병명에는 관심이 없다. 어찌됐든 이러한 이유로 오늘의 생일 파티도 내 계획에 맞춰 준비를 하고 여자와 남자들을 파티에 초대했던 것이다.

그런데 이상하게도, 복수했다고 생각했고, 심지어 '역시 내 예상이 맞아' 하면서 안도감까지 들었는데, 시간이 지날수록 내 마음은 편치 않고 실망감에 불타올랐다. 어쩌면 나는 기대를 아직도 버리지 못한 것일지도 모른다. **예외**에 대한 기대를. 혹시나 하는 마음을. 정말 혹시나 '내 마음에 딱 맞는 선물을 가져올 정도의 사람'이 있지 않을까 하는 희망을.

그렇다면, 스무 살 때 내 마음에서 끊긴 **줄**(줄곧 기대라고 생각했던)은 어떤 줄이었을까.

자신들의 욕구를 채우느라 바쁜 그들을 숲 속에 놔두고 멀리 조그맣게 빛나고 있는 캠핑장으로 발걸음을 돌렸다. 보통 때와는 달리 오늘은 정말 그 꼴을 보기 싫었다. 혐오스러울 정도였다. 내가 자초한 일에 나 자신도 싫어졌다.

캠핑장 중간에는 모닥불이 타닥타닥 마지막 불을 태우고 있었고, 좀 전까지(아주 먼 과거의 일인 것 같다) 나와 있었던 미영이는 보이지 않았다. 남아있는 대부분의 사람은 만취해 자고 있었고 테이블과 바닥에는 술병이 이리저리 굴러다녔다. 술이 세거나 많이 마시지 않은 사람, 그리고 요리사들이 내게 와서 걱정스러운 표정으로 어디 갔었냐고 물었다. 나는 태연하게 산책하고 왔다고 하고 그 광경을 천천히 눈으로 훑었다. 요리사들과 그들에게 푹 쉬라고 말하고 빈 카라반으로 발걸음을 향했다. 들어가기 전 다시 사람들을 보았다. 사람들은 술을 마시고 농담을 던지며 산이 떠나가도록 웃고 있었다. 그 웃음소리가 나를 숨막히게 했다. 그들에겐 걱정이나 슬픔이라는 단어는 존재하지 않는 것 같다. 깜깜한 산 속에 그들만 밝았다. 혹시라도 내가 보이지 않아 애타하며 진심으로 걱정하고 있지는 않을까하고 어렴풋이 기대했었는데, 또 내가 속았다. 나는 순간 울컥했지만 침착하게, 비어있는 카라반 안으로 들어갔다.

대충 씻고 침대에 털썩, 누웠다. 피곤함이 몰려왔다. 천장은 투명한 유리로 되어있어서 깜깜한 밤하늘이 보였다. 많이 보이지는 않았지만, 조그만 다이아몬드가 박힌 듯 별들은 반짝였다. 밤하늘의 동공은 별이 아닐까? 할아버지의 말이 스치듯 생각나서 추측해보았다. 할아버지는 이 세상 모든 동공이 검은 색이라고 했는데 별은 하얗다. 밤하늘이 깜깜하기에 별은 예외인 걸까, 아니면 할아버지가 틀린 걸까. 아니면 별이 밤하늘의 동공이 아닌 걸까.

아까 내가 동굴 속에서 겪은 이상한 경험을 누군가에게 말하고 싶어 입이 근질거렸지만, 그걸 믿어줄 사람, 경청해줄 사람, 게다가 내가 조근조근 이야기해주고 싶은 사람도 없었다. 분명 나는 사람들이 기뻐하는 모습에 위안을 받았지만, 한편으로는 그 모습이 나를 화나고 슬프게 했다. 이 모순으로 나는 머리가 두 동강이 난 것처럼 고통스러웠다.

환멸감이 든 나는 결국, 감정이 북받쳐 참지 못하고 소리 내어 엉엉 울기 시작했다. 어렸을 때 많이 울어 성인이 되어서는 울지 않을 줄 알았는데.

점 같은 별은 하얀 선으로 길게 늘어지더니 밤하늘과 내 눈물과 같이 어우러져 검은 바다 위 파도처럼 넘실거렸다.

4

일주일이 넘어도 할아버지에게선 연락이 오지 않았다. 파티 후 집으로 돌아가서도, 일을 하면서도 수시로 핸드폰을 확인했다. 일상이 무미건조했기에 할아버지에 대한 궁금증은 커져갔다. 할아버지의 동굴이라도 가보고 싶었지만, 할아버지와의 약속 때문에 나는 갈 수 없었다. 꾹 참고 기다리기로 했다. 똑같은 일상에서는, 시간이 참지 못할 정도로 정직하게 흘러간다. 일이 끝나면 술을 먹으며 하루를 빨리 보내버렸다.

그렇게 한 달이 지나고 두 달이 지났다. 아무리 기다려도 할아버지에게 연락이 없었다. 나는 더 이상 참을 수 없었다. 가서 혼나던지 맞던지 일단 부딪혀보자고 마음먹었다. 이렇게 가만히만 있을 수는 없었다. 할아버지는 내가 찾는 해답을 풀어줄지도 모른다. 처음부터 그렇게 생각했었다.

토요일(생일파티를 한 날이 토요일이었다) 점심을 먹고, 나는 생일파티를 한 강원도 캠핑장으로 차를 몰고 갔다. 그 근처에 차를 세우고, 기억을 더듬어 할아버지의 동굴을 향해 걸었다. 한참을 걸으니, 바위가 많은 벽에 다다랐다. 많은 바위 중 왠지 이 바위가 맞는 것 같다고 생각한 나는 각오를 단단히 하고, 주위의 바위까지 막무가내로 두들겨댔다.

"할아버지! 할아버지!"

계속 두들기고 소리쳐도 아무런 대답이 없었다. 손이 아파왔다. 두들기다가 지쳐버린 나는 하는 것을 그만 두고 바위에 등을 기대고 앉았다. 한참 앉아 쉬고 있는데, 갑자기 등 뒤의 바위가 움직여 앞으로 튕겨져 나갔다. 깜짝 놀라 뒤를 돌아보니 문이 열려있고 할아버지가 나를 쳐다보고 있었다!

멋대로 동굴에 찾아왔으니 호통을 칠 것 같아 단단히 준비를 하고 있었는데, 예상과 달리 할아버지는 나를 아주 반가워했다. 할아버지는 여전히 무성한 백발에 단단한 인상을 하고 있었다.

"왜 이제 왔어! 동굴로 들어와."

나는 동굴로 들어갔고 할아버지는 바위 문을 닫았다. 여전히 안락의자는 흔들거리고 있었다.

"기다려도 연락이 없어서 왔어요. 약속을 깨버렸네요."

"아니야. 나도 자네를 기다렸네. 잘 왔어."

"네?"

나는 어리둥절했다.

"내가 깜빡하고 번호를 잊어버렸어. 그래서 자네 오기만을 기다렸지."

"아, 그래서 연락이 없었구나. 다행이네요. 그나저나 일단 약속을 깬 거니 죄송해요."

"아냐, 아냐. 약속도 나름이지. 상황이 이러니 융통성 있게 행동하는 게 옳아. 게다가 내가 먼저 약속을 깬 셈이잖아?"

"오기를 정말 잘했네요. 갈까 말까, 고민했었는데."

"자네가 더 마음에 드는데? 역시 예사롭지가 않아. 젊은 사람이 잊고 넘어갈 법도 한데 근성이 있구만. 두 달이 지났는데 말이야. 여름이 다 가버렸다고."

할아버지는 그 때처럼 호탕하게 웃었다. 나도 할아버지를 따라 웃었다.

"할아버지가 너무 궁금해서 잊히지 않았어요."

"나도 번호 빼고는 자네 모습을 잊지 않았네. 저기, 펜 같은 거 있나?"

"네, 있어요. 번호 적어드릴까요?"

나는 갖고 온 가방에서 종이와 펜을 꺼내 내 번호를 적어서 할아버지에게 건넸다. 할아버지는 흡족한 표정을 지으며 이제 돌아가도 좋다고 했다.

"나는 여기서 혼자 생각을 해야 돼. 내가 꼭 연락할게."

"언제 연락하실 거예요?"

"일주일 내로."

할아버지는 다시 약속을 했다. 앞으로 이 동굴에 절대 오지 말라는 약속. 나를 쫓아내듯이 동굴 밖으로 내 등을 밀었다. 노인네가 힘이 장사였다. 도대체 여기서 무엇을 하기에 저러는 걸까?

나는 할아버지를 보자마자 바로 헤어져서 아쉬웠지만, 큰 만족감이 밀려왔다. 강원도의 꼬불꼬불한 도로를 즐겁게 운전하며 (히죽히죽 웃기까지 했다) 서울로 돌아왔다. 하늘은 벌써 가을 하늘같이 청명했다.

5

그 후, 일주일이 안 되서 정말 연락이 왔다. 할아버지였다. 경기도 지역 번호가 휴대전화에 떴다.

할아버지는 내게 주소를 알려주고는 거기로 이번 주 토요일 아침 아홉시까지 오라고 했다. 주소는 용인. 나는 경기도라는 말에 멀어서 투덜거리다가 할아버지가 싫으면 안 와도 된다고 하자, 아무 소리 없이 알겠다고 했다. 그 외에 별다른 말은 없었다.

나는 토요일이 기다려져 바쁘게 일을 했다. 일을 끝내고 집으로 돌아오면 밥을 먹거나, 씻고 바로 잠들었다. 그렇게 토요일 전까지 단순하게 지냈는데도, 나는 평소와 다르게 활기가 넘쳤다. 잠도 잘 잤다. 덕분에 집중도 잘 되어 일주일이 걸릴 일을 3일 만에 뚝딱 해치워버렸다. 그런 나를 옆에서 본 회사직원들은 요즘 좋은 거 먹느냐, 연애 시작 했냐, 피부에 혈색이 돈다, 하며 좋은 게 있으면 같이 공유 좀 하자고 말했다. 나는 어깨를 으쓱거리며 아무 것도 없다고 했다. 그렇게 시간이 지나 토요일 아침이 됐다.

7시에 일어나 아침밥을 먹으러 1층으로 내려왔다. 어머니가 조용히 식탁에서 혼자 커피를 마시고 있었다.

"잘 주무셨어요?"

"응. 일찍 일어났네?"

"네. 아침에 어디 좀 가봐야 해서요."

나는 자리에 앉아 연어샐러드부터 집어먹었다.

"어디 가니?"

"경기도에요. 거기 아는 분이 있어서. 아버지는요?"

"예상 되잖니. 어디 갔겠어."

어머니는 커피를 다 마시고 빈 잔을 내려놨다. 아버지는 골프를 치러 갔을 것이다. 어머니는 골프를 싫어했다.

"허리에 파스를 덕지덕지 붙이고도 새벽 일찍 일어나서 나가더라. 어젯밤에 양주 반 남은 건 다 먹고 비몽사몽해서는. 또 빈 속에 먹었어. 안 그러면 술 맛이 안 난다면서."

어머니는 미간을 찌푸리며 한숨을 쉬었다.

"뭐, 원래 그러시잖아요."

나는 계란말이를 베어 물었다.

"난 삼십 년을 같이 살아도 이해가 안 돼. 왜 그렇게 자기 몸을 상하게 하는 행동을 하는지. 아무리 바깥에서 스트레스를 받아도 그렇지. 그 행동을 생각만 해도 몸서리가 쳐지는 구나."

나는 아무 말 없이 매생이 굴국을 떠먹었다. 탱글탱글한 굴과 부드럽고 짭조름한 매생이가 아주 잘 어울렸다. 사실, 내 머릿속에는 오늘 어떤 일이 있을지 궁금증으로 꽉 차있어서 어머니의 말 같은 건 잘 들리지 않았다. 어머니가 늘 하는 말이기도 해서 귀 기울이지 않았다. 어머니는 계속 표정이 안 좋은 채로 커피 한 잔을 더 따라 마셨다.

밥을 다 먹고 일어나려는데, 어머니가 뭔가 떠올랐는지 나를 잡았다.

"아, 너 대문 왼쪽에 귀여운 꼬마 선인장 봤니?"

"아뇨, 못 봤는데요. 저는 차고 쪽 계단으로 들어오잖아요."

"지금 두 달째 안 죽고 있어. 게다가 예쁜 꽃도 폈어. 선인장에 꽃 피는 건 처음 보네. 나중에 나가면서 너도 봐보렴."

어머니는 아버지 일은 금새 다 잊은 것처럼, 활짝 웃었다. 역시 어머니에겐 식물이란. 나는 알겠다고 하고 2층으로 올라가 준비를 하고 차고로 내려갔다. 오늘도 미니를 타야지. 그 날도 미니를 탔으니. 미니는 어느새 내게 행운의 차가 된 것 같다. 마침 날씨도 청명해 오픈카로 달리면 딱 좋을 것 같았다.

차고 문이 열리고 미니를 밖으로 꺼냈다. 출발하려는데 갑자기 어머니가 웃으면서 말한 선인장이 떠올라 차를 세워 놓고 정원으로 들어가 두리번거렸다. 크기가 제각각인 화분 속에는 새로운 식물들이 한 자리하고 있었다. 어떤 선인장을 말하는 거지? 나는 빠르게 눈알을 굴렸다. 그러다 뾰족한 가시가 있는 동그란 선인장에서 시선을 멈췄다. 선인장에 분홍색 꽃이 하늘을 향해 커다랗게 한 송이 피어 있었다. 가시를 뚫고 나온 건가. 신기하

네. 선인장이 꽃을 피운 것은 처음 보았다.

선인장을 본 후, 차를 끌고 용인으로 향했다. 상쾌하고 포근한 바람이 선글라스를 스쳤다.

목적지에 도착했습니다. 내비게이션을 종료합니다.

경사가 높고 조용한 골목에 내비게이션 소리만 들렸다. 나는 차창 너머 오른쪽에 있는 낡은 2층 단독주택을 보았다. 여기가 맞나. 주소대로라면 여기가 맞을 텐데 저런 집에서 살고 있는 건가. 주택의 모든 것이 낡아보였다. 지붕과 벽에 붙어있는 담쟁이 넝쿨은 말라 비틀어져 있어서 손으로 쥐면 금방이라도 가루가 돼버릴 것만 같았다. 주황색 지붕은 여기저기 뜯겨 있고 대문도 헐어있었다. 나는 핸드폰을 꺼내 할아버지의 번호로 전화를 걸었다. 할아버지는 전화를 받지 않았다.

나는 차에서 나와 대문 쪽으로 갔다. 살짝 건드려보니, 대문은 열려있었다. 조심스레 대문 안으로 들어가, 현관문을 두들겼다. 그 문도 열려있었다. 문을 열자 좁은 현관에는 신발이 꽉 차 있었다. 집 안은 쾨쾨한 묵은 냄새가 났고 지저분했다. 고개를 왼쪽으로 돌리자, 할아버지와 모르는 남자 두 명이 기다란 좌식 테이블에 앉아있었다. 그들은 회의를 하는 것처럼, 상 위에는 종이가 잔뜩 널려져있고 무언가 받아 적고 있었다. 주위에는 TV나 소파는 없고 책만 성벽을 이루듯 벽 사방으로 잔뜩 쌓아져있었다. 처음 보는 남자 둘은 시큰둥한 표정으로 나를 쳐다보았다. 할아버지는 나를 발견하고는, 일어나서 내게로 왔다. 반듯한 할아버지의 모습 덕분에 이 집은 사람 사는 냄새가 났다. 잡지 화보 촬영을 위해 일부러 이 장소를 연출한 것처럼 보였다. 만약 저 남자 둘만 있었다면, 단순히 폐가에 노숙자들이 사는 집으로 보였을 것이다.

"자네 왔나? 잘 찾아 왔네. 여기로 앉아."

나는 인상을 살짝 찌푸리며 남자 둘의 맞은편에 앉았다. 바닥에는 흔히 볼 수 있는 싸구려 빨간 카펫이 깔려있었다. 찝찝했던 나는 무릎을 꿇어 살짝 카펫에 앉았다. 나는 그들에게 인사를 했다. 그들도 여전히 시큰둥한 표정으로 고개를 끄덕였다.

"아, 근데 자네 이름이 뭐지?" 할아버지가 물어보았다.

"최건희입니다."

"나이가?"

"28살입니다."

할아버지는 남자 두 명에게 나를 가리키며 말했다.

"앞으로 같이 글쓰기 수업을 받게 될 최건희다."

글쓰기 수업을 받게 될 최건희?

"할아버지, 글쓰기라니요? 저는 수업 받을 생각 없는데요?"

할아버지는 내 등을 찰싹 때렸다.

"그냥 받아. 받아 놓아야 너에게 도움이 돼. 너는 특별교육이다."

"저 대학교 때 논문 쓴 거 말고는 글을 써본 적이 없는데요."

"대학 나왔다고 자랑하는 거냐? 여기 너 자랑 받아줄 사람 아무도 없어."

"그런 게 아니라, 전 사적으로 글을 써본 적이 없어요. 필요할 때만 글을 쓰면 되잖아요."

"나중에 네가 답답해질 텐데."

할아버지는 나를 보며 혀를 찼다. 남자 둘은 멍하니 나를 쳐다보다가 다시 펜을 들어 글을 썼다. 한 명은 중년의 남자였고, 한 명은 나보다 어려 보였다.

"이러시는 이유가 뭐에요?"

"내가 부탁이 있다고 했지?"

"네."

"내 부탁을 들어주려면 글을 쓸 줄 알아야 해."

"그니까 그 부탁이 뭔데요."

할아버지는 호탕하게 웃고선 말했다. "엄청 보채네. 보채는 모습을 보니 아주 신이 나는구만."

어깨를 덩실거리면서 할아버지는 손으로 셔츠 위 단추 하나를 풀었다.

나는 부탁과 그 외의 문제들로 궁금해 답답했지만, 이대로 가다가는 놀리기만 할 뿐 노인네가 나중에 알려줄 것 같았다. 어차피 나한테 하는 부탁이니, 나중에 알려줄 수밖에 없다. 침착함을 유지해야겠다고 생각했다.

그러다 어린 남자애가 내게 슬쩍 말을 걸었다.

"할아버지는 대단하신 분이에요."

"어떤 점에서?"

"모든 것을 알고 계세요."

그 남자애는 존경의 눈빛을 가득 담아 할아버지를 보며 말했다.

"모든 것?"

"제가 모르는 저의 모든 것을요."

남자애는 해맑게 웃었다. 할아버지는 그런 남자애의 머리를 쓰다듬었는데, 애정이 듬뿍 담긴 손길이었다. 저 남자애는 누구지? 얼핏 보면 할아버지를 닮은 것도 같다. 할아버지는 특유의 호탕한 웃음소리를 내며 내게 말했다.

"어때. 글 쓰는 거 배워볼래?"

"부탁이 뭔지 말해주시면요."

계속 웃던 할아버지는 눈꼬리를 내리고 갑자기 얼굴 표정을 진지하게 바꾸었다.

"그래. 장난은 그만 치고, 말해 줄게."

남자 두 명도 펜을 놓고 할아버지를 쳐다보았다. 할아버지는 헛기침을 두어 번하고 입을 떼었다.

"이야기를 하나 써 줘."

중년의 남자는 그 말에 깜짝 놀라 할아버지와 나를 번갈아가며 뚫어져라 쳐다보았다.

"이야기? 어떤 이야기요? 할아버지가 쓰시면 되잖아요."

나는 어이가 없어하며 대답했다. 도대체 나한테 왜?

"난 그럴 힘이 남아 있지 않아. 생각할 힘은 남아 있어도."

할아버지는 검지로 자신의 머리를 톡톡 건드렸다.

"읽고 말할 수는 있어. 근데 쓰지를 못하겠어. 쓰는 건 별개의 일이야. 내가 내 이야기를 쓰지 못하겠어."

"왜요?"

"그 이야기를 망칠 까봐. 두려워. 난 몇 번이나 시도해봤어. 하지만 계속 마음에 안 들었고 결국엔 포기했지. 그것 때문에 상처를 많이 받았어. 이야기를 놓아버리자, 해서 잊고 지내려고 했는데 다시 불쑥 머리를 내미는 거야. 그래서 나는 다시 이야기를 품을 수밖에 없었고, 이야기를 깊이 이해하고 잊지 않고 기억하는 것에 만족하기로 했어. 그런데 이렇게 나이가 들고 죽을 날이 다가오니 그 이야기가 내 머릿속에만 있는 것이 너무 아까운 거야."

"음, 뜻은 대충 알겠어요. 근데 뜬금없네요. 왜 하필 저죠?"

"네가 동굴에 있는 검은 구멍에서 똑 떨어졌잖아. 이건 운명 아니겠어?"

할아버지는 능글맞은 웃음을 지으며 말했다. 운명을 믿을 사람처럼 보이지 않았는데.

"운명을 믿으세요?"

"그냥 한 소리야. 뭐, 진짜 운명이란 것이 있다면 이게 운명이지 뭐야. 너의 눈을 봤는데 마침 좋은 눈망울을 가지고 있었어. 내 이야기에서 나오는 애처럼. 그래서 제멋대로 입이 움직이고 목구멍에서 말이 나와 버렸어. 부탁을 들어달라고. 그 말을 내뱉은 순간 스스로 확신이 들었어. 온몸으로 느껴졌지. 내 이야기를 쓸 사람은 바로 너라고. 내겐 어떤 감感같은 것이 있어. 말로는 표현하지 못 할."

할아버지가 여기까지 말하고 내가 대답하려는 찰나에 중년의 남자는 부들부들 떠는 두 손으로 갑자기 상을 쾅 쳤다. 그 때문에 펜 두 개가 굴러 떨어졌다. 중년의 남자를 제외한 세 명은 갑작스러운 행동에 화들짝 놀랐다.

"제가 쓸게요."

"뭐?"

할아버지는 놀란 눈으로 상을 친 남자를 쳐다보았다.

"제가 쓰고 싶어요. 왜 저한테는 말씀 안 하셨어요? 제가 선생님을 잘 알아서 더 잘 쓸 수 있어요. 저 애송이보다는."

얼굴이 상기된 남자는 나를 손가락으로 가리켰다. 기분 나쁜 삿대질이었다. 그 남자가 입을 열어 말을 할 때마다 담배 냄새가 역하게 풍겨왔다. 골초가 분명했다.

"의지나 잘 아는 것으로 선택하는 게 아니야, 나는."

"그 놈의 **감**으로 선택한다고요? 저 애송이가 이야기를 망치면 어떡해요! 제가 더 열심히 노력할게요. 저, 사실 눈치 챘어요. 선생님이 무언가를 계속 생각하고 있다는 걸요. 그게 이야기였다니… 그 이야기를 선생님께 직접 듣고 싶고, 쓰고 싶어요. 제발, 제가 쓰게 해주세요. 애송이가 다 망쳐놓을 거라고요. 죽어서도 후회하시면 어쩌려고… 이번만은 제 걱정을 진지하게 생각해주세요!"

"그래. 감, 내 마음이야! 오히려 아무 것도 모르는 사람이 하는 게 더 나아. 게다가 이 아이는 다른 또래와 다르게 순수해. 망쳐도 상관없어. 순수한 아이가 망치면 얼마나 망치겠어. 자기가 가지고 있는 게 순수함뿐인데."

"제가 순수하다고요?"

나는 어리둥절해 할아버지에게 물었다. 할아버지는 내 말엔 대답하지 않고 계속 그 남자를 보며 말을 이어갔다.

"자네는 아무 걱정 없이 순수한 호기심만으로 아무 것도 안 보이는 어둠 속을 계속 걸어본 적이 있나? 무엇이 나올지도 모르는 어둠 속에서 아무런 주저함도 없을 수 있나? 순백의 호기심 말고 다른 감정이나 잡다한 생각을 안 섞을 수 있나?"

할아버지는 얼굴색 하나 변하지 않고, 침착하고 차갑게 남자에게 따발총을 쏘듯 말했다. 남자는 할아버지의 말에 고통스러워했다. 난 그런 할아버지의 차가움이 뜻밖이어서 흥미가 일었다.

"냉정하게 말하지만, 자네는 그럴 수 없어. 자넨 이미 찌들어 있어. 내가 주구장창 말했는데 왜 그렇게 욕심을 못 버리나. 그러면 너만 괴로워. 자네는 아무리 단순하게 쓰고 노력해도 아름다울 수 없어. 왜냐면 단순함을 버티지 못하니까. 단순한 것이 최고라고? 최상인 것만이 단순할 수 있어. 나머지는 단순함을 가지면 스스로 자폭해버려. 자신의 초라함을 견디지 못하거든. 단순함은 순수한 사람만의 특권이야."

할아버지의 눈빛은 여전히 차가웠다. 고통으로 괴로워하는 남자의 열을 식혀주려는 듯이.

"내가 처음부터 말했지. 자네는 잘해봤자 다이아몬드를 받쳐주는 목걸이 체인 중 하나의 고리밖에 되지 못한다고."

할아버지는 남자의 어깨를 두들겼다.

"하지만 하나의 고리도 아주 중요해. 고리 하나라도 빠지면 목에 걸 수가 없어 쓸모가 없게 되거든."

나는 속으로 '그럼 다른 고리로 교체하면 되지.' 라고 생각했지만 입 밖으로는 꺼내지 않았다. 할아버지의 마지막 말은 대충 넘어가기 위해 말한 것처럼 느껴졌다. 남자는 할아버지의 마지막 말로 많이 누그러져 보였다. 그래도 그는 계속 나를 허점이라도 뜯어내려는 것처럼 주의 깊게 쳐다보았다. 얼굴이 아직도 붉게 상기되어있다. 얼굴이 두툼하여 욕심이 많아 보이는 인상이었다. 어린 남자애는 이 상황이 재밌는지 입가를 슬며시 올리며 조용히 관찰하고 있었다.

나는 할아버지를 불렀다. 할아버지는 나를 쳐다봤다.

"저, 이야기 쓰는 거 부담스러운데 제 생각에는 이 분이 저 대신 쓰시면 좋을 것 같아요."

할아버지는 가만히 나를 쳐다보다가 뭔가 생각이 났는지, 두 남자에겐 잠깐 얘기 좀 하고 오겠다고 말하고선, 나를 끌고 2층으로 연결된 계단으로 끌고 갔다. 손아귀 힘이 어찌나 세던지, 나는 저항할 수 없었다. 우리는 삐걱거리는 나무계단을 밟으며 2층으로 올라갔다. 문이 하나 있었는데 문고리에 자물쇠가 걸려 있었다.

"여긴 어디에요?"

"여긴 나 말고 아무도 출입하지 않아."

"이곳에는 왜…"

할아버지는 대답이 없었다. 동굴과 자신만 출입하는 이 공간에, 저 두 사람은 누구고 내게 부탁하려는 이야기는 또 무엇인지. 아는 것도 많고 나이도 어느 정도 있어 보이기에 쓰린 경험도 있을 것 같지만, 얼굴에는 고통의 흔적은 전혀 보이지 않는다. 초연해보이기도 하다. 참 비밀이 많은 할아버지라 생각했다.

할아버지는 바지 속에 손을 넣어 꼼지락 거리더니(이상한 짓을 하는 줄 알았는데 팬티 안쪽 면에 주머니를 달아놓았다) 열쇠를 하나 빼서 자물쇠를 열었다. 그리고 문을 열었다.

거긴 이 낡은 집의 겉모습, 거실과 달리 완전히 딴판이었다.

2부

6

지금 내가 보는 공간은 이 낡은 주택의 쪽방인 것 같다. 싱글 침대 세 개를 놓으면 거의 꽉 찰 정도의 넓지 않은 공간이었다. 문을 열면 바로 벽을 한 가득 채운 통유리창이 보였고, 창으로 저 멀리 큰 나무 한 그루와 산의 능선, 차가 달리고 있는 도로, 주택, 건물이 보였다. 시원하게 뚫린 창 쪽에는 고무나무가 심어진 청자 화분이 하나 놓여있었다. 고무나무는 반들반들 윤이 났고 상한 이파리 하나 없었다. 관리가 잘된 모양새였다. 창틀은 검은 색이었다. 양쪽 벽은 붙박이 책장으로 천장까지 꽉 차서 보이지 않았다. 책장에서 책이 쏟아져 내릴 것 같았다. 책장은 붉은 빛이 도는 체리목이었고 방 한 가운데에는 반달 모양의 책상 하나와 의자가 놓여 있었는데, 그것도 체리목이었다. 바닥은 은은한 옥색이 도는 대리석으로 되어 있고, 책상과 의자가 있는 공간에만 금색 러그가 깔려있었다. 천장의 한 가운데는 동그란 강화유리로 되어 있어서 하늘이 보였고, 네 모퉁이에는 자그마한 스테인글래스 전등이 대롱대롱 달려있었다. 네 개의 등은 각자 색이 달랐다. 책을 꺼내기 위한 조그만 나무 사다리도 있었다. 나는 할아버지를 처음 보았을 때처럼 이 아담한 방 역시 처음 보자마자 매료되고 말았다. 넓지도 않고 딱히 특별할 것도 없는 단순한 구조의 인테리어인데도 풍부한 존재감을 발산하고 있었다. 양 옆의 거대한 책장은 묵직하게 바닥을 누르고 있고, 그 안에 있는 책은 가볍게 붕 떠있는 기묘한 느낌이 들었다. 나는 의자에 앉아 입을 벌리고선 방을 둘러보다 창밖을 보았다. 할아버지는 방을 구경하는 나를 보며 뿌듯한지 어깨를 으쓱했다.

"이런 아늑한 곳을 두고 그런 동굴 속에 가다니."

나도 모르게 말이 튀어나왔다.

"여긴 내 방이고, 거긴 내 별장인 셈이지."

"이 책들을 다 읽으신 거예요?"

나는 책장에 가득 꽂힌 책을 가리키며 말했다.

"읽은 것도 있고, 읽을 것도 있고."

"누가 이렇게 꾸민 거예요?"

"당연히 나지. 이 방에 있는 가구는 내가 직접 만들었어. 이 전등도 내가 디자인해서 주문을 맡긴 거야. 내 손으로 만든 나만의 방을 갖고 싶었어. 여기가 내 최고의 장소야. 벌써 사십 년이 넘었지."

내 취향도 확고하다 생각했지만, 할아버지 앞에선 나는 꼬마애에 불과했다. 이런 게 연륜인가. 방에 있는 물건 하나하나 애정이 듬뿍 담긴 것이 공기에서부터 느껴졌다. 분명히 고정된 물건인데도 생명을 가진 것처럼 생동감이 느껴졌다. 모두 할아버지의 소중한 친구들이었다. 방 전체가 할아버지의 연장선처럼 보였다.

할아버지는 잠깐만 기다려보라고 하고 문을 열고 나갔다. 나는 탁 트인 유리창 너머 바깥세상을 보았다. 저 멀리 놀이기구가 보였다. 근처에 놀이공원이 있나보다. 그러다 책장을 훑어보며 읽어볼만한 책이 있나 살펴봤다. 나도 책을 많이 읽었지만, 이만큼은 아닐 것이다. 수많은 책들은 책장 속에서 누군가가 자신을 읽어주기만을 다소곳이 기다리고 있었다.

나는 「우주 속의 원과 운동」이라는 책이 눈에 띄어 꺼냈다. 그 옆에는 「기호의 의미」, 「색이 좋습니다」 와 같은 생소한 책도 있었다. 일단 꺼낸 책을 아무 페이지나 펼쳐 보았다. 검은 원이 불규칙적으로 그려진 삽화가 있고 그 밑에는 이렇게 적혀 있었다.

'우주 속의 모든 존재는 살아서 움직인다. 사람이 만든 것을 제외한 모든 것이. 우주 속의 모든 존재는 불완전하다. 하지만 그것이 완전한 형태이다. 사람은 불완전하기에 끊임없이 완전함을 추구한다. 그래서 사람은…'

여기까지 읽자 할아버지가 문을 열었다. 손에 의자 하나가 들려 있었다. 조그만 접이식 의자였다. 그걸 체리목 의자 옆에 펼치고서는 내게 거기에 앉으라고 했다. 나무 의자가 어른이라면 접이식 의자는 어린 아이였다. 나는 책을 다시 책장에 꽂아놓고 그 의자에 앉았다. 엉덩이만 간신히 걸쳐졌고 무릎은 쭈그린 상태가 되었다. 나는 조심스레 1층에 있던 중년의 남자에 대해 물어 보았다.

"그 아저씨는 누구에요?"

"워리 말하는 거냐?"

"워리? 아까 이야기를 쓰고 싶다고 한 아저씨요. 얼굴이 붉고 검은."

"워리 맞아. 내가 워리라고 불러."

"왜 워리라고 부르는 거예요?"

"영어 'worry'에서 딴 거야. 다들 'Don't worry'할 때, 그 놈은 'Do worry'할 놈이지. 만약 반대로 'Do worry'라고 하면, 그 놈은 신나서 'Yes! Absolutely Do worry!'라고 할 거야. 분명히."

할아버지는 수염을 쓰다듬으며 못마땅한 눈으로 말했다.

"왜 영어로 했어요? 한글로 '걱정'이라고 하지. 걱정. 걱쩡. 꺽정. 임꺽정 같네요."

"거봐. 잘못 들으면 산적 이름 같잖아. 꼭 산적같이 생겨가지고 자존심은 엄청 세. 그래서 못 알아듣게 암호처럼 외국어로 불러. 워리, 단어도 귀엽잖아? 그 놈이 아까 내 일에 걱정하는 거 봤지? 지나 잘할 것이지. 처음에 그 놈이랑 어떻게 만난 지 알아? 1년 전인가, 식당에서 혼자 술 마시고 있는데 갑자기 누군가가 나한테 와서 말을 거는 거야. 바로 그 놈이었지. 그 놈이 내게 처음으로 한 말이, '아저씨(내가 자기 또래로 보여서 걱정이 돼 말을 걸어본 거래). 왜 여기서 혼자 술 드시고 계세요' 였어. 지도 혼자 먹고 있었으면서. 그러다 한참 있다 또 와서는 '아저씨. 그렇게 술 마시다가 죽어요' 하면서 걱정하는 거야. 괜찮다는 데도 집으로 데려다주겠대. 그래서 1층 거실에 나를 눕혔지. 그 때는 거실이 난장판이었어. 내가 2층에 안 놓는 책은 1층에 아무렇게나 던져놨었거든. 그걸 보고서는 '아저씨. 이렇게 사시면 어떡해요' 라고 말하는 거야. 그리곤 자기가 책을 정리하더라? 정리하면서 책이 많으니까 '아저씨. 혹시 책에 관련된 일 하세요? 힘드시겠어요' 라고 말했어. 그래서 내가 그런 일은 안 한다고 했고, 설령 책에 관련된 일이라고 해도 책을 좋아하기 때문에 힘들지 않을 것 같다고 했지. 그랬더니 '책을 읽으면 머리 아플 것 같아요. 전 종이를 넘길 때 손가락이 잘 베어요. 그리고 혹시라도 집에 불이 나면 책 때문에 더 잘 타면 어떡해요' 라고 하는 거야. 그 머저리가! 갑자기 울화통이 터졌지! 지금 생각해도 속이 터지네! 그래서 내가 책에 대해 열성을 다해 설명을 해주었지. 그러다가 오늘까지 인연이 이어지게 된 거야. 내가 말하는 걸 들으니까 책에 대해서 알지 않으면 안 될 것 같대. 그리고 자기가 내 옆에 있어야한다 뭐라나. 웃기는 놈이지. 그 놈은 남들한테도 걱정을 불러일으키는 사람이지. 어쩌면 그래서 내가 너에게 내 이야기를 하자, 는 결심을 하게 된 걸지도 몰라. 뭔가 이대로 가기에는 나도 걱정이 되었거든."

"들어보니 정말 '워리'라는 별명이 어울리네요. 그래도 아까는 할아버지가 심하게 말씀하셨는데 괜찮을까요?"

"괜찮아. 그 놈은 그렇게 말해도 잘 못 알아들어. 죽을 때까지 걱정만 하겠지. 남이 아무리 말해줘 봤자야."

"그럼 그 옆에 어린 남자애는 누구에요?"

"그 어린 애는… 내 손자야."

"손자라고요?"

나는 놀랐다. 할아버지 성격에 결혼은 하지 않았을 것 같았는데. 할아버지는 그런 내 반응을 예상했다는 듯 태연하게 고개를 끄덕였다.

"친손자야. 그런데 그건 그 애한텐 비밀로 해야 돼. 알았지?"

할아버지는 검지로 입술을 꾹 눌렀는데, 그 모습이 개구쟁이 같았다.

"왜요?"

나는 의아했다.

"개인 사정이야. 모른 척해."

"뭐, 알겠어요."

우리 둘은 잠시 침묵했다. 그러다 할아버지가 먼저 입을 열었다.

"너는 여기 왜 온 거냐?"

나는 그 말에 헛웃음이 나왔다.

"왜 오긴요. 할아버지가 부르셔서 왔죠."

"아니. 사람이 부른다고 쪼르르 오는 사람이 어디에 있냐. 너도 무슨 용건이 있어서 온 거 아니겠어?"

"음… 뚜렷한 목적을 가지고 온 거는 아니에요. 할아버지가 뭐든지 다 아는 도인같이 느껴져 궁금했어요. 그리고 그냥, 재밌을 것 같아서."

"재미?"

"솔직히 말해서, 전 사는 게 재미없거든요."

할아버지는 또 큰 소리로 웃었다.

"젊은 놈이 재미 볼 건 다 봤나 보지?"

"네. 정확하게 아시네요. 솔직히, 제가 돈이 좀 많아요. 그래서 재미있다고 하는 건 정말 다 해봤어요. 가질 수 있는 건 손에 다 가져 봤고요. 순간적인 자극만 줄 뿐, 전부 시간이 지나면 재미없어요. 하룻밤만 지나도 다 잊어버려요. 이젠 다 지쳐버렸어요. 혹시 여기서 벗어나는 방법을 할아버지가 알고 있진 않을까 해서 온 거에요."

"이래서 부자는 불쌍하다니깐. 진짜 재미가 뭔지도 모르고."

"진짜 재미요? 그게 뭐에요?"

할아버지는 나를 보며 씨익 웃었다. 눈썹도 위아래로 움직였다.

"진짜 재미는 말이지. 그걸 찾는 사람만이 가질 수 있는 거야."

"저도 찾아봤는데 왜 가질 수 없어요?"

"마음가짐의 문제야. 그것은 전등, 빛과도 같지. 자신이 스스로 딸칵, 스위치를 켜야 하는 거야. 그 전등이 켜지면 감각이 확 트여서 어디에 있든지, 무엇을 보든지 재미를 찾을 수 있지. 반대로 스위치를 찾지 못해 켜지 못하면 어둠 속에서 허둥지둥 대며 빛이 나는 장소나 사람을 찾아다녀야하지."

"어떻게 하면 그 스위치를 찾을 수 있어요?"

"궁금한 것도 참 많네. 너는 '몰라'라고 불러줄까? 네 스위치가 어떻게 하면 켜지는지 내가 어떻게 알아? 네가 직접 찾아봐. 어디 있는지. 이건 확실히 말할 수 있는데, 아주 어려울 거야. 평생 못 찾다가 죽기 직전에 찾을 수도 있어. 아니면 아예 못 찾을 수도 있고. 아무리 노력하고 발버둥을 쳐도 말이야. 그런데 일단 그 스위치를 한 번 켜게 되면, 스위치가 없는 어두운 세상은 견딜 수 없게 되지… 그것도 그 나름대로 비극인데, 계속 얘기하자면 한도 끝도 없게 돼. 어쨌든 간에, 스위치든 뭐든 원하는 것을 얻어내기까지 어렵고 시간이 많이 걸릴수록 그것을 잃어버리는 것도 똑같이 어렵고 시간이 많이 걸리게 돼. 그런데 그건 좋기도 하고 아주 좋지 않기도 하지… 순간적인 재미와 진정한 재미라…"

스위치와 어려움과 시간. 그렇다면, 내가 돈이 많아 무엇이든 쉽게 재미를 볼 수 있기에 금세 재미를 잃어버렸던 걸까? 나는 창밖을 보며 곰곰이 생각에 잠겼다. 돈을 주고 재미를 샀던 행동, 재미의 종류, 재미있는 사람과 물건, 그리고 거기에 도달하기까지 내가 치렀던 대가들에 대한 생각을. 내가 생각하는 동안 할아버지는 조용히 침묵한 채 나를 기다려주었다.

한참 생각한 뒤에, 몸이 찌뿌듯해 움직였는데, 작은 의자 때문에 엉덩이와 다리가 아파왔다.

"이건 너무 불편한데요. 다른 의자는 없어요?"

나는 허리와 등을 비틀고 접혀 있던 다리를 쭉 폈다가 다시 굽혔다.

"넌 거기서부터 시작해. 자, 그럼 물어볼 게 없어 보이는데, 이제부터 이야기를 시작해야겠어. 의자는 이야기가 진전되면서 편한 걸로 바꿔줄게."

왜 굳이 그렇게 번거롭게 해야 되는지. 정말 할아버지는 의문 투성이었다.

"이야기라뇨? 저, 이야기 안 쓸 거예요. 못 써요."

나는 한 번 더 할아버지에게 강하게 거절의 말을 했다.

"그러면 일단 들어보기라도 해. 쓰라고는 강요하지 않을게. 하지만 내가 다시 한 번 말하는데, 너는 내 부탁을 들어주게 되어있어. 바쁘고 귀하신 몸이라고 하니 오래 붙잡아놓지는 않을 거야. 매주 토요일 똑같이 아침 9시에 와. 그리고 늦어도 12시까지는 보내줄게. 나도 12시가 넘으면 별장에 가야 되니깐. 일주일에 한 번 세 시간, 괜찮겠지? 아마 네다섯 번 정도 오면 이야기는 끝이 날 거야. 그 대신, 나도 네가 궁금해 하는 것은 최대한 열심히 듣고, 이 늙은이의 경험에서 대답해주도록 할게."

생각해보니 나쁘지 않은 것 같다. 이야기만 듣는 거야 뭐. 쓰는 것은 정말 내키지 않았다.

"좋아요, 그럼. 이야기는 들어드릴게요. 그런데 글쓰기 수업은 안 받을래요."

할아버지는 잠시 눈을 감고 생각에 잠겼다. 그러다 다시 눈을 뜨고 말했다.

"그래. 마음이 안 내키는 걸 할 수 없지. 마음대로 하렴. 너에게 도움이 됐을 텐데 아쉽네. 나중에 필요하면 말해. 언제든지 알려 줄 테니."

"필요할 일 없을 것 같은데요…"

"알겠어, 알겠어. 그럼 듣기만 해. 이야기 시작하기 전에 커피 좀 타올게. 자네도 마시나?"

"네."

잠시만 기다리라고 하고 다시 할아버지는 나갔다. 나는 구부린 다리를 비어있는 쪽으로 쭉 펴냈다. 그러자 조금은 편해졌다. 삐죽 튀어나온 발에 닿는 대리석은 차가웠다.

7

할아버지는 양손에 김이 나는 머그잔을 들고 나타났다. 커피는 블랙이었다.

"설탕 안 넣지? 단 걸 별로 안 좋아할 것 같아서."

할아버지의 추측이 맞았다. 나는 커피에 아무 것도 넣지 않는다. 말하지도 않았는데 알아줘서 기분이 좋았다.

"맞아요. 안 넣어요. 어떻게 아셨어요?"

"척 보면 척 이지."

할아버지는 기분이 좋아보였다. 하지만 커피를 책상에 놓을 때 손을 약간 떨었다.

"손을 떠시네요?"

"늙어서 그런가. 지금은 긴장해서 그럴지도 몰라. 설레기도 해. 흥분되기도 하고. 이야기를 입 밖으로 꺼낸 건 처음이거든. 횡설수설할 수도 있어. 말로 설명하기 아주 까다롭고 어려운 이야기야. 이것은 언어로 만들어진 이야기가 아니라서 그래. 그래서 나 혼자만 간직하려고 했지."

할아버지는 크게 숨을 들이마시고 천천히 내쉬었다.

"준비됐어?"

"네."

"그럼 시작하마. 내가 말하면 상상을 하면서 집중하고 들으면 돼. 판타지 이야기를 처음 들을 때처럼 말이야."

*

무한하게 넓은 공간을 생각해봐.

우주보다도 더 넓고 큰 공간을. 그 공간에는 아무 것도 없어. 시간, 공간, 바람, 빛, 소리, 냄새, 과학자들이 말하는 미립자, 양자, 형태, 아무 것도 없는 거야. 그렇다고 그 공간이 하얀 색이라고는 상상하지 마. 거기에는 색도 없어. 도저히 상상이 안 되지? 맞아, 거기는 상상초월의 공간이야. 무한대의 공간이지. 그 공간이 무한한 이유는 아무 것도 없기 때문이야.

편의상 우리가 말하는 언어로 말할게. 아직 그곳엔 언어조차 없지만 말이야.

시간이 지나고 그 공간에 무언가 나타났어. 여기서 시간이 지나간다는 말을 많이 할 텐데, 그것 역시 상상할 수 없을 정도의 긴 시간이라는 걸 기억해둬. 아무 것도 없는데 이게 어떻게 생긴 지 모르겠어. 원인이 불분명해. 우리가 모르는 다른 차원을 통해서 여기로 들어왔을 수도 있고, 아주 거대한 손이 그것을 툭 떨어뜨리고 간 것일 수도 있겠지. 그것은 조그만 검은 점이야. 완벽하게 원형이 아닌, 일부분이 핑킹가위로 잘라낸 것처럼 조금 뜯겨 나가있어. 하지만 멀리서 봤을 때는 별로 티가 안나. 그냥 동그란 검은 점이야.

그렇게 검은 점이 있는 채로 시간이 지나 갔어. 얼마나 지났는지 가늠이 안 돼. 그러다 점은 어느 순간, 자신이 여기에 있다는 걸 **인지**하게 돼. 그리고 이상한 영상이 보였다가 안보였다가 하는 것도 인지하게 되지. 그 영상은 우리말로 바꿔 말하자면, **꿈**이라고 할 수 있어. 점은 영상이 보일 때면 바깥세상과는 완전히 단절된 채, 영상 속으로 깊이 들어가 구경하고 체험을 해. 이건 우리말로 **잠을 자고 있다**고 하자. 점은 영상을 보고 있다는 걸 인지하지만, 자신이 잠을 자고 있는 것은 인지하지 못했어. 사람은 누워서 눈을 감고 잠이 들면 꿈이 나타나잖아? 그러니까, 점은 우리처럼 잠이 드는 과정을 인지하지 못하고, 평소대로 아무 것도 없는 공간에 가만히 있는데 갑자기 꿈의 영상으로 가득 찬다고 느끼는 거지. 만약 지금 우리 세상 속에 이런 사람이 있다면, 기면증이라는 수면 장애가 있다고 의사가 말했겠지.

점에게 보이는 영상을 묘사하기란 아주 힘들어. 언어의 한계야.

그래도 말해보자면, 신비롭고 환상적이고 아름다운 영상이었지. 잭슨 폴록의 폭발하는 추상화같이 흩어져있고 불규칙하면서도 강력한 힘이 느껴졌어. 더군다나 점은 모든 것이 처음 보는 거라, 더 놀랍고 신기해했어. 깨어있는 것보다 영상을 보는 시간이 더 많았는데, 영상을 볼 때면 점은 황홀했어.

시간이 지나고, 점 옆에 또 검은 점 하나가 나타났어. 첫 번째 점과 마찬가지로 일부분이 뜯긴 채. 크기는 첫 번째 점보다 조금 컸어.

시간이 지나고, 첫 번째 점은 옆에 두 번째 점이 있다는 걸 알게 됐어. 그런데, 두 번째 점에 자신의 모습이 비치는 거야. 가까이 가서 보고 싶었지만 움직이지 못했어. 그래서 계속 멀리서 어렴풋이 바라보기만 했어.

또 시간이 지나서, 그들은 소리 없이 서로 의사소통하는 방법을 알게 되었어. 첫 번째 점은 두 번째 점과 크기가 다르다는 걸 보고선 말을 했어. 우리처럼 소리 내어 말은 한 건 아니었기에 속말이라고 해야 할지, 텔레파시라고 해야 할지 모르겠어. 대체할 말이 없으니, 일단 **말을 했다**고 할게.

"넌 왜 나와 달라?"

"몰라."

두 번째 점은 무뚝뚝했어.

또 시간이 지났어.

"너는 무엇을 보고 있니?"

"무언가."

시간이 또 지나고. 여전히 첫 번째 점이 먼저 말을 꺼냈어.

"나는 영상이 보여."

"나도."

"영상은 다양해. 나는 이 영상 중에서 어떤 모습이 기억에 남아. 그 모습은 우리와 아주 많이 달랐어. 너는 무엇을 봤니?"

"나는 기억하지 못해."

"너도 기억에 남는 모습이 생길 거야. 그 모습은 뭔가 나에게 울림을 줘. 하지만 나는 그걸 말하지 못하겠어. 아, 내가 상상을 해볼게. 어쩌면 너도 볼 수 있을지도 몰라."

첫 번째 점은 가만히 떠올려보려고 했어. 하지만 그새 잠이 들어버렸지. 아직 자유자재로 자신의 잠을 통제하지 못 하는 거야. 하고 싶은 대로 못 하고, 공간에 가만히 박혀있는 채로 검은 점은 미세하게 꿈틀거릴 뿐이었어. 가끔 속이 답답한 느낌이 들고 간지럽기도 했어.

첫 번째 점은 시간이 지나고 잠에서 깨어났어. 그런데 두 번째 점이 보이지 않는 거야. 첫 번째 점은 놀라고 두려웠어. 자신도 두 번째 점처럼 없어져버리면 어쩌지, 하고 걱정되었어. 첫 번째 점은 꿈에서 영상이 보이는 것이 재미있었고, 흐릿하고 기억에 남지 않던 영상들이 조금씩 뚜렷해지기 시작했거든. 자신이 없어져버리지 않았으면 했어.

'그 애는 도대체 어디로 갔을까?'

첫 번째 점은 혹시 주위에 자신에게는 보이지 않는 적들이 있는 건 아닐까, 하고 의심했어. 의심하자마자 두려움과 공포가 엄습해오는 거야. 첫 번째 점은 그걸 잊으려고 꿈의 영상의 세계로 빠지려고 했지만, 오히려 각성되어 여기에 자기 혼자 있다는 사실이 생생히 느껴졌어. 점은 여러 가지 감정을 혼자서 견뎌내야 했어. 두려움, 공포, 의심, 걱정, 절망, 외로움. 자신이 할 수 있는 것이 아무 것도 없다는 걸 뼈저리게 느끼면서.

시간이 지나자, 어두운 감정에 지쳐서 잠에 들었다가 깨고, 다시 느끼기를 반복하니, 어두운 감정이 서서히 옅어졌어. 그리고 그 감정을 완전히 버텨내어 이제 아무렇지 않아졌을 때, 점은 해방의 기쁨으로 가득 찼어. 그러자, 점 바로 주변에 신비롭고 다양한 색이 오로라처럼 반짝이는 거야. 점은 그걸 보지 못했어. 너무 가까이 있었기 때문이지. 우리 사람도 거울로 보는 것이 아닌 이상, 본인의 코를 못 보는 것처럼 말이야. 하지만 굳이 그걸 보지 않아도, 점은 지금 충분히 즐거웠어.

그런데, 검은 점이 또 하나 나타났어. 이번에는 길쭉하지만, 어디 뜯긴 것 없이 완전히 매끄러운 타원형의 검은 점이었어. 첫 번째 점은 점이 나타나 반갑기도 했지만, 두 번째 점과는 모양이 조금 달라 경계심이 들었어.

*

할아버지는 잠시 침묵하더니 말했다.

"자, 오늘은 여기까지."

나는 어안이 벙벙했다. 이런 이야기는 처음이었기 때문이다. 이야기가 재미있긴 했지만 새로운 형식의 이야기라 머릿속이 복잡했다. 이해가 잘 안되었다. 추상적이라고 해야 하나? 뭐라고 해야 하지?

"도대체 점은 뭐에요? 무슨 상징이 있는 거에요? 아무 것도 없는 공간은 또 뭐죠?"

할아버지는 나를 흘겨보다가 한숨을 쉬고 말을 했다.

"상징은 없어. 점은 그냥 점일 뿐이야. 그대로 받아들이면 돼. 네가 그냥 너인 듯이, 사람이 사람인 듯이. 조금은 똑똑한 줄 알았더니, 그건 또 아니었구만."

이 이야기는 똑똑한 것과는 거리가 먼 것 같다. 나는 혼란스러웠다.

"제가 이걸 어떻게 듣고 생각해야 될지 모르겠어요."

"그건 너의 몫이야. 나는 오로지 **점**에 대해서만 이야기 할 뿐이다. 그 애한테 내 의견을 집어넣거나 그런 것 없이 순수하게 그 애를 표현해줄 뿐이야. 그걸 받아들여 너 속에서 어떻게 변형이 되던 그건 너의 책임이지."

"좀 더 쉽게 말해주시면 안될까요?"

"그러니깐, 애송아. 예를 들어줄게. 나는 어두운 광산에서 보석이 들어있는 돌덩어리를 발견했어. 이걸 캐낸 후에, 생각을 하고 시간을 들여서 마침내 돌덩어리는 빼고 보석만 남아있게 됐어. 그 때, 나는 보석의 소리를 들으며 정교하게 세공한단다. 마음으로 깊이 들으면 '나는 이렇게 해 주세요'라고 나에게 언어가 아닌 **영상**으로 다가와. 그냥 어느 날 **영상**이 내 눈앞에 나타나. 그걸 본 나는 기쁜 마음으로 그렇게 해 줘. 최선을 다하여 끝을 낸 후, 젊은 너에게 그 보석을 건네주고 나는 떠나. 남아 있는 보석을 원료, 색, 미학 같은 다양한 분야의 연구를 하던지, 팔던지, 소장을 하던지, 아니면 그걸 새롭게 너의 스타일대로 바꾸던지, 심지어 잃어버리던지, 그건 너의 자유라는 뜻이야."

할아버지는 차분하게 설명을 해주었다.

"덧붙여서, 점들이 하는 언어는 지금 우리가 하는 언어랑 다르단다. 동물의 언어, 별의 언어, 사과의 언어처럼 그들만의 방식으로 말하고 있는 거야. 단지 나는 이야기를 너에게 전해 줘야 하기 때문에 우리 언어로 말할 수밖에 없다는 걸 알아둬라."

"네, 이해했어요. 그나저나 도대체 이 이야기는 어떻게 구상하게 된 거에요?"

"그냥 발견된 거야. 나한테 찾아왔다고도 할 수 있나. 그냥 영상으로 점들의 모습이 보였어."

"이런 걸 영감이라고 하나 봐요. 신기하네요."

그렇지도, 라고 하면서 할아버지는 내게 시간을 물어보았다. 나는 왼쪽 손목에 찬 시계를 바라보았다. 벌써 12시가 넘어있었다. 시간이 이렇게 빠르다니. 할아버지에게 시계를 보여주니 깜짝 놀라며 나가봐야한다고 말했다. 나보고 얼른 가보라고 했다.

의자에서 일어나자, 갑자기 다리와 허리에 통증이 왔다. 저 불편한 조그마한 의자 때문이었다. 할아버지는 다음 주, 아니면 2주 후, 언제가 됐든 토요일에 다시 오라고 했다. 두 개의 빈 잔을 한 손으로 들고 할아버지는 내게 손 인사를 했다. 계단을 내려오니 거실에는 이미 워리 아저씨와 어린 손자는 없었다. 나는 저린 다리로 어기적거리며 집을 나왔다.

차를 타고 집으로 돌아 왔다. 운전을 하는 내내 할아버지와 이야기에 대해 생각했다. 방에 들어가자마자 벌러덩 침대에 누웠다. 나는 할아버지의 말이 문득 떠올라 거울로 내 동공을 바라보았다.

'눈 안에 박힌 점이 강력하구만.'

어떻게 동공만 보고 사람을 판단하는지 물어본다는 걸 깜빡했다. 혹시, 동공과 아까 이야기에서 나온 점이 무슨 관련이 있는 것은 아닐까? 할아버지의 책장에 있는 책에 까만 점들이 그려져 있던 삽화도 그렇고.

나는 계속 동공을 바라보았다. 내 동공을 보면 볼수록, 내 몸에서 검은 동공만 다른 세계에서 온 것 같은 느낌이 들었다. 동굴 속에서 헤맬 때 몸이 붕 뜬 것과는 다른 느낌으로 현실감각이 뒤죽박죽되었다.

혹시, 태아, 아니면 동물의 생명의 탄생 과정에 대한 이야기일까? 만남의 시작을 점이라고들 표현하던데, 만남이나 시작에 대한 이야기일까? 우주보다 넓은 공간이라 했으니, 우주의 빅뱅에 대한 이야기? 나는 침대에 누운 채로 계속 생각하다가, 해답도 나오지 않고 지쳐버려 이야기를 놔두었다.

할아버지는 조근조근 이야기를 해줬지만, 정말 할아버지의 말처럼 말로 설명하는 데 한계가 있는 이야기였다. 왜 글을 쓰다가 포기했는지 조금은 알 것 같았다. 이 이야기를 나보고 쓰라니. 무슨 재주로? 내가 수업을 거부한 이유는, 수업까지 받아버리면, 빼도 박도 못 한 채 이야기를 써야 될까봐 그런 것이다. 나중에 둘러댈 구실도 있고 말이다. 부담스러워서 그걸 어떻게 써?

생각하고, 생각하다가, 나는 잠이 들어버렸다. 좀 전까지 앉아있던 접이식 의자와 다르게 침대는 푹신하고 안락했다.

8

한 주가 지나고, 토요일이 돌아왔다. 용인으로 가는 길은 아직 익숙하지 않았다.

월요일에 나는 문득 할아버지의 책장에 꽂혀있던 「우주 속의 원과 운동」이라는 책을 읽어보고 싶어 인터넷 서점에 검색해보았지만 절판이었다. 집 근처의 비교적 큰 도서관에서도 검색해보았는데 이미 대출 중이었다. '대출 중'이라고 입력된 버튼을 클릭하면 반납일이 떠있었는데, 지금으로부터 2년 전 날짜였다. 이상하여 도서관에 전화를 해보니, 누군가가 가져가서 오랫동안 반납하지 않은 것이었다. 다시 구입하려니 이미 절판이라 다시 들여놓기가 힘들다고 했다. 다른 도서관에는 그 책이 아예 없었다. 애초에 소수의 한정된 부수만 찍어내서 그렇다고 했다. 할 수 없이 그 책은 나중에 할아버지한테 빌려달라고 해봐야겠다. 다른 책을 빌려볼까도 했지만, 제목이 기억나지 않았다.

회사 일은 여전했다. 가능한 한 신속하고 유능하게 처리했다. 골치 아프고 힘든 일도 어렵지 않게 해결했다. 회식도 있었지만 참석하지 않았다. 남자나 여자들이 만나자고 했는데 거절했다. 평소 같았으면 마음대로 놀았을 텐데, 왠지 사람들과 쓸데없이 대면하고 싶지 않았다. 매일 일이 끝나는 대로 꼬박꼬박 집으로 돌아오자, 어머니는 웬일이냐고 했다. 어머니와 마주 보고 밥을 먹는 것은 아침이 전부였는데, 저녁에도 일이 빨리 끝나 같이 먹을 수 있었다. 외식도 한 번 했다. 여자 친구들이나 데려갔던 호텔 뷔페를 어머니와 같이 왔다. 처음에 어머니는 얼떨떨하더니, 밥을 먹고 후식을 먹을 때에는 기분이 아주 좋아보였다. 어머니는 종종 이렇게 외식하자고 했고 나는 알겠다고 했다. 대화는 많이 나누지는 않았지만 기분이 좋았다. 아버지는 여전히 새벽 일찍 출근하고, 저녁 늦게 집으로 돌아왔고, 출장도 가느라 집을 비워 얼굴보기가 힘들었다.

이렇게 한 주가 흘러갔다. 금요일 저녁이 되어서야 내일이 벌써 토요일이라는 걸 깨달았다. 별다른 고민 없이 내일도 할아버지를 만나러 가자고 생각했다.

미니 쿠페는 오르막길을 엔진소리를 내며 오르더니, 낡은 주택이 보이자 내가 밟는 브레이크로 멈춰졌다. 요즘은 계속 미니만 탔다. 처음 왔을 때는 낡은 집이 삭막해보이더니 오늘은 그런 느낌은 없었다. 벌써 적응해버린 건가.

여전히 집의 문은 열려있었다. 거실에는 아무도 없었고 문이 열리는 소리에 2층에서 할아버지가 내려왔다. 오늘은 검은 셔츠에 커피색 면바지를 입고 있었다. 윤기가 흐르는 얼굴. 활짝 웃으며 나를 반겼다.

"어서 와라."

"오늘은 아무도 없네요?"

"아, 그 둘은 가끔 이 집에 부르고, 다른 곳에서 수업을 해. 이 곳에서 하는 게 나한테는 편한데, 워리가 이 집에만 오면 잔소리를 해서 골치라."

우리는 곧장 2층으로 올라가 할아버지의 방으로 들어갔다. 여전히 방 안은 할아버지의 피부처럼 반짝반짝 광택이 났다. 할아버지는 구석에서 접이식의자를 가져와 나무의자 옆에 놓았다. 나는 그 의자를 보고 반사적으로 얼굴이 찌푸려졌다.

"또 여기에 앉아요?"

"앉아."

"왜 여기에 앉아야 되는 거예요?"

나는 의자에 앉으며 투덜거렸다.

"넌 좀 불편함을 느껴봐야 해. 고생한 적 한 번도 없지?"

"없긴 한데, 사서 고생할 필요 없잖아요. 그리고 저도 이렇게 되기까지 나름 고생이 있었다고 할 수 있죠."

"아마 간접적으로 네가 해결한 거지, 직접 부딪친 건 아닐걸? 편한 의자나 회사의 일자리, 자동차를 네가 직접 만든 게 아니잖아? 너, 밭에 가서 배추를 심고 키우고 잘라서 김치라도 담궈 본 적 있냐? 지금 누리는 편안함은 과거의 사람들이 다 만들어놓은 거지."

"덕분에 지금 편하게 살고 있는 건 물론 감사하죠. 그리고 전 지금 세대에 태어났으니 어쩔 수 없잖아요? 지금 세대만의 고생과 걱정이 있다구요. 맞다, 저 동굴에서 고생했잖아요. 지금 다시 그곳에 가서 동굴을 빠져나가려니 엄두가 안 나네요. 그나저나 자전거 탄 남자는 도대체 어디로 간 걸까요?"

"나야 모르지. 네가 다시 가서 직접 알아보면 되겠네. 오늘도 커피 마실래?"

"네, 좋아요."

할아버지는 밖으로 나갔다. 책장을 훑어보다가 갑자기 「우주 속의 원과 운동」이 떠올라 그 책을 찾았다. 저번에 있던 자리를 봤는데 보이지 않았다. 주위에도 없었다. 어디로 간 거지?

책장을 뒤지고 있는데, 할아버지가 그 때와 똑같은 머그잔을 들고 왔다. 검은 바탕에 나무가 그려져 있는 컵이었다. 책장을 보는 내 모습을 보더니 할아버지가 말했다.

"뭐, 보고 싶은 책이라도 있나?"

"네. 「우주 속의 원과 운동」 이라는 책 어디 있어요?"

내가 말한 책 이름을 듣더니 할아버지는 놀라워했다.

"그 책? 그걸 네가 읽게?"

"저번에 보니까 할아버지가 해주는 이야기랑 연관이 있는 것 같아서요."

"음, 그렇지. 근데 따지고 보면 그 책뿐만 아니라 모든 게 그 이야기랑 연관이 있겠지. 그 책을 봐도 일부분일 뿐이야. 우선 내가 이야기를 다 마치고 빌려줄게. 지금 봐도 머리만 더 복잡해질 거야."

나는 알겠다고 대답하고 커피를 마셨다. 저번과 똑같이 맛있었다.

"커피 원두는 어떤 거 쓰세요? 향이 너무 좋아요."

"내가 타서 그래."

할아버지는 눈썹과 입꼬리를 치켜 올렸다. 나는 그 말에는 아무 대답하지 않았다.

"아, 그리고 제가 하는 질문 대답해주신다고 했죠?"

"그렇지. 근데 무슨 질문을 할지 눈에 보이긴 하네."

할아버지는 내 눈을 빤히 쳐다보았다.

"동굴에서 제 동공을 보고 강력하다고 했잖아요. 눈을 보면 사람을 다 알 수 있다고 하고. 할아버지는 정말 사람을 볼 줄 아는 것 같아요. 그럼 저는 어떤 사람인 것 같아요?"

할아버지는 커피를 마시고 뜨끈해진 입을 열었다.

"저번에 말했잖아. 권태롭다고."

"그리고 또?"

"음. 너와 맞지 않는 생활을 하고 있는 것 같은데. 그건 다 너의 '스위치'를 못 찾아서 그런 거야. 아마 지금의 생활 속에서는 찾을 수 없을 거야."

"맞아요. 모든 사람과 일상이 다 똑같고 지겨워서 재미없어요. 다 어리석고 이기적이에요. 똑같은 말을 반복하고, 말할 때 제대로 듣지 않아서 상대방한테 또 말하게 만들고, 말과 행동이 달라요. 이해심도 없어요. 여러 일 때문에 실망을 많이 했죠. 그런데 할아버지는 달라요. 제가 아는 사람들하고는 완전히 달라요. 할아버지를 만나고 권태가 사라진 것 같아요."

"날 만나 사라진 건 좋지만, 나는 너에 비해서 시간이 얼마 안 남았어. 우리가 계속 만날 수는 없잖아. 내 나이가 구십이 넘었는데."

"네?!"

나는 깜짝 놀라 소리를 지르고 말았다. 구십이라니?

"왜 그렇게 놀래?"

"아니, 어떻게 이 외모가 구십 세에요? 피부며 머리의 숱만 봐도, 아무리 많이봤자 칠십으로 보이는데. 그것도 하얀 머리랑 수염 때문에 그렇게 보이는 거구요."

할아버지는 허허, 웃었다.

"세월이 나를 좋아했나봐. 내게 흠집을 남기지 않고 시간이 흘러갔으니."

"참 많이 좋아했나보네요. 솔직히 말해보세요. 비법이 있는 거죠?"

"비법? 시간이 지나면 뭐든지 진가가 나오는 거야. 비법이라면 그게 비법이지."

할아버지는 헛기침을 하고 웃었는데, 그 웃음에서 남자아이의 해맑은 모습이 보였다. 이 나이에도 저런 순수한 모습을 간직한 사람이 있을까.

나는 아직도 충격에서 헤어 나오지 못하고 벙찐 표정으로 할아버지의 얼굴만 보았다.

"얼굴 그만 보고 이야기나 마저 들어!"

이야기라는 소리에 정신을 차리고 할아버지의 말에 집중하기 시작했다.

*

자, 첫 번째 점은 새로 생긴 점이 반갑긴 했지만 경계심이 들었다고 했지? 두 번째 점의 모습과는 많이 달랐기 때문이었지. 새로 생긴 점은 세 번째 점이라고 하자.

세 번째 점이 새초롬하게 길쭉한 나머지 그 점에 비친 자신의 모습도 길쭉하게 보였어. 두 번째 점으로 본 둥글지만 한쪽이 모난 모습이 진짜 내 모습일까, 아니면 세 번째 점으로 본 길쭉한 모습이 내 모습일까? 첫 번째 점은 가만히 지켜보다가 세 번째 점한테 먼저 말을 걸었어.

"넌 어디서 왔니?"

"몰라. 너야말로 어디서 왔니?"

"난 여기에 계속 있었어. 다른 애도 있었는데 그 애는 어디 가버리고 그 자리에 네가 온 거야."

"그렇구나. 너는 모서리가 뜯겨져있네?"

첫 번째 점은 세 번째 점이 자신을 쏘아보는 것처럼 느껴졌어. 왠지 찌릿찌릿한 느낌이 들었거든.

"원래 이랬어."

"이상하게 생겼네. 너, 내가 보이지? 나는 이렇게 완벽해."

세 번째 점은 두 번째 점보다 말을 훨씬 더 많이 했어. 시도 때도 없이, 생각할 틈도 없이 말을 중구난방으로 재잘재잘 뱉어냈어. 첫 번째 점은 처음엔 발랄한 모습이 좋았지만 서서히 시간이 지날수록 그런 세 번째 점이 성가시기 시작했어. 세 번째 점은 계속 첫 번째 점에게 못 생겼다고 반복해서 말하는 거야. 차라리 묵묵했던 두 번째 점이 났다고 생각했어. 그리고 이제 혼자 있어도 편안함을 느끼기도 했고.

"이렇게 매끈하고 완벽한 내가 왜 너 옆에 있는 걸까? 게다가 내가 너보다 색이 더 진해. 너도 나처럼 되려고 해 보지 않을래? 넌 날 보면서 즐겁겠지만 난 그렇지 않다고. 너의 그 뜯겨진 부분이 나를 찌르는 것만 같아서 고통스러워. 근데 여기에는 너랑 나밖에 없으니 다른 걸 볼 것도 없잖아. 아, 심심해, 따분해. 재밌는 얘기 뭐 없니? 정말 심심해."

"내가 왜 너처럼 되려고 해야 하는데?"

첫 번째 점은 슬슬 참지 못하고 짜증이 올라왔어.

"보면 모르겠니? 내가 너보다 나으니깐. 노력해서 나처럼 돼야지. 그러면 나는 좀 즐거워질지도 몰라."

"너처럼 되고 싶지 않아! 난 이대로가 좋다고."

"정말 이상하네. 그렇게 뜯겨진 채로 있고 싶니? 몸도 쪼그맣고 통통하네."

"몰라!"

첫 번째 점은 화가 났어. 사실은, 자기도 세 번째 점처럼 되고 싶었어. 왜 그런지 모르겠지만, 그게 더 나아보였거든. 세 번째 점이 말을 너무 많이 해서 자기도 모르게 세뇌를 당한 것일 수도 있어.

이제 첫 번째 점은 속으로 '나도 저렇게 돼라, 돼라, 돼라' 라고 중얼거리기 시작했어. 그런데 문제는 자신이 세 번째 점처럼 길쭉해졌는지 그대로인지 잘 모르겠다는 거야. 세 번째 점에 비친 자신의 모습은 길쭉해보였거든. 하지만 변하지 않은 것은 알 수 있었는데, 세 번째 점이 계속 쫑알거린 덕분이었지. 어떻게 해야 그렇게 되는지 몰라 답답한데, 세 번째 점이 자꾸만 자기를 이상하다고 말하는 바람에 화로 가득 차버렸어. 꿈도 계속 악몽만 꾸게 됐어. 공포와 두려움으로 떨게 만드는 이상한 영상들이 쏟아져 나왔어.

세 번째 점은 계속 심심하면 이 말만 했어. "넌 이상해. 빨리 나처럼 돼 봐."

그럴수록 첫 번째 점은 그 생각만 하게 되었어. 속으로 계속 말을 하고 생각했어. '돼라, 돼라, 돼라.' 변하지 않으면 실망하고 슬퍼했어. 울화통이 터질 지경이었어. 자기 자신이 원망스러웠고 세 번째 점이 차라리 자신 앞에서 사라져버려 보이지 않았으면 좋겠다고 생각했어. 하지만 세 번째 점은 두 번째 점과 다르게 사라지지 않았어. 아니면 자신이 멀리 도망이라도 치고 싶었지만 움직일 수가 없으니 세 번째 점이 쏟아내는 말을 다 받아들여야만 했어. 첫 번째 점은 계속 괴로움에 시달려야 했지. 아름답고 재밌는 꿈을 꾼 지도 오래됐어.

그러다 시간이 흐르고, 세 번째 점은 첫 번째 점을 보고 놀라면서 말했어.

"나와 정말 비슷해졌네? 오호."

첫 번째 점은 그 말에 놀라 세 번째 점에 비친 자신의 모습을 봤어. 원래 길쭉하게 보였기 때문에 별다른 차이를 못 느꼈지만, 세 번째 점이 저렇게 말했다는 것은 분명히 자신의 모습이 바뀌었다는 거였지. 첫 번째 점은 자신의 몸이 이렇게 해도 변할 수 있다는 것이 신기했어.

"봐봐. 나도 그렇게 될 수 있다고."

의기양양해진 첫 번째 점은 오랜만에 기쁨을 느낄 수 있었어.

"음, 정말 그러네? 그나저나 심심한 건 마찬가지야. 재밌는 얘기 없니?"

"날 보라니깐! 정말 놀랍지 않아?"

"놀랍긴 한데, 그 뿐이야. 심심한 건 여전하다고."

세 번째 점은 아까의 놀라는 기색은 어느새 사라져버리고 금세 따분해 했어.

"그럼 이제 내가 재밌는 얘기 해줄까?"

첫 번째 점은 그런 반응에 조금은 실망하고 세 번째 점이 미웠지만, 그래도 세 번째 점을 재밌게 해주고 싶었어.

"그래, 해 줘."

"혹시 너한테도 영상이 보이니? 나는 옛날에 비친 수많은 영상 중에 인상 깊은 모습이 있었어. 그건 어떻게 생겼냐면…"

첫 번째 점은 곰곰이 생각했지만 기억이 나지 않았어. 끙끙대며 기억하려했지만 기억이 나지 않았어. 우리 사람도 꿈을 기억하려고 하면 기억이 안 나는 것처럼 첫 번째 점도 그랬어.

"왜 말을 안 해!"

세 번째 점은 빨리 말하라고 다그쳤어.

"음, 그게, 갑자기 기억이 안 나네. 미안해. 기억나면 말해줄게."

"뭐야, 왜 기억이 안 나. 아, 따분해. 넌 여전하구나! 차라리 옛날 못난 모습이 더 재밌겠어."

첫 번째 점은 세 번째 점의 말에 크게 상처를 입었어. 첫 번째 점은 너무 슬픈 나머지 몸에서 조그만 까만 점이 뚝뚝 떨어져 나갔어. 마치 눈물방울처럼. 검은 방울이었지. 그걸 보자 세 번째 점은 신기해했어.

"우와! 그거 어떻게 한 거야?"

첫 번째 점은 너무 슬퍼서 듣지 못했어. 조그만 방울들을 뱉어내기만 할 뿐. 계속 뿜어져 나오는 방울에 세 번째 점은 계속 보챘지. 하지만 첫 번째 점은 아무 대답도 없었어.

"왜 말을 안 해! 어떻게 한 거냐니까? 정말 이상한 애야!"

세 번째 점은 떨어져 나간 점들을 만져보고 싶었어. 하지만 아무리 애를 써도 공간에 박혀있는 몸은 움직여지지 않았지. 세 번째 점은 짜증이 났어.

"왜 움직이지를 않는 거야! 정말 짜증나!"

세 번째 점의 짜증 섞인 바늘같이 톡 쏘는 소리를 듣고, 첫 번째 점은 그 때서야 자신의 몸에서 떨어져 나간 동그란 방울들이 밑에서 떠다니고 있는 것을 보았어. 자기 자신도 만져보고 싶고, 세 번째 점에게 갖다 주고 싶었던 첫 번째 점은 세 번째 점에게 말했어.

"내가 움직여서 너한테 갖다 줄게."

첫 번째 점은 박혀있는 몸을 움직이려고 해봤어. 몸 주위가 간지럽더니, 간단히 공간에서 뽑혀져 나와 움직일 수 있게 되었어. **처음으로** 움직이는 거였지. 분명히 놀라운 일인데, 첫 번째 점은 자기가 처음으로 움직이고 있다는 사실을 몰랐어. 오직 세 번째 점에게 갖다 줄 동그란 검은 방울에만 집중했던 거야.

첫 번째 점은 밑에 있는 방울들이 있는 곳으로 갔어. 첫 번째 점은 뭐라도 뻗어 방울을 잡으려고 했지만 점에게는 사람처럼 손이나 발, 팔, 다리가 없기에 잡을 수 없었어. 첫 번째 점은 어떻게 할까, 고민하다가 점의 밑으로 내려가 방울을 자신의 몸으로 튕기면서 위로 올라왔어. 그리고 세 번째 점에게, 축구선수가 헤딩하듯이 검은 방울을 넘겨줬어. 세 번째 점은 좋아하며 검은 방울을 자신의 몸으로 받아들였어. 하지만 그 점은 세 번째 점으로 흡수되더니, 세 번째 점과 함께 감쪽같이 사라져버렸고 그 순간 공간은 아무 소리 없이 고요해졌어. 첫 번째 점은 그 광경을 보고 아연실색했어. 어떻게 된 일이지? 내가 방울을 넘겨줘서 세 번째 점을 사라지게 한 건가? 죄책감을 느끼며 첫 번째 점은 다시 혼자가 되었어. 세 번째 점이 조잘조잘 시끄럽게 말하며 감정의 동요를 준만큼, 그 빈자리는 컸어.

'왜 또 사라져버린 걸까? 정말 내 잘못일까? 나는 기쁘게 해주고 싶었을 뿐인데…'

다시 커다란 슬픔에 잠긴 점은 하염없이 조그만 검은 방울들을 떨어뜨렸어. 첫 번째 점은 그럴수록 크기가 점점 줄어들었어.

*

"오늘은 여기까지."

"첫 번째 점이 방울을 다 떨어뜨려서 죽으면 어떡하죠? 바보 같아요. 죽으면 안 되는데! 세 번째 점의 말은 무시해버리지 왜 들어서는!"

"순진해서 그래. 어때, 오늘 이야기 재밌었어?"

"네. 처음보다 훨씬 재밌네요."

"그래, 일단 상징이니 의미니 그런 건 잠시 생각하지 말고 순수하게 이야기만 들어봐. 아직 할 이야기는 많이 남아있으니."

나는 커피를 마시려고 했는데 어느새 잔이 비어있었다. 이야기를 들으며 다 마셔버린 것이다.

"자, 이제 돌아가야지."

할아버지는 처음에도 그랬듯이 내 등을 떠밀었다. 나는 돌아가기 아쉬웠다. 하지만 할아버지는 완강했다. 시계를 보니 11시 52분이었다. 같이 점심이라도 먹을까, 하고 말을 꺼내보았다.

"점심은 뭐 드세요?"

"안 먹는데."

"배고프시지 않아요? 동굴도 가야 되잖아요."

"이 정도 나이 되면 그렇게 배고프지가 않아. 끼니 챙기는 것도 귀찮아."

"그래도 드셔야죠. 끼니 거르면 건강에 안 좋을 수도 있는데."

"안 먹어도 된다."

완강한 할아버지의 대답. 점심을 같이 먹는 것은 포기해야겠다.

"그런데, 동굴에서 도대체 뭐하세요?"

"생각. 생각을 해. 저번에 내가 말했을 텐데."

"무슨 생각이요?"

할아버지는 흘깃 나를 쳐다봤다. 그만 물어보라는 눈치였다.

"그것만 대답해주시면 갈게요."

"아니, 내가 무슨 생각을 하는지 너한테 말해줄 의무는 없는 것 같은데. 그나저나 이제 가보라니깐?"

할아버지는 냉정하게 말했다. 워리 아저씨한테 말할 때처럼. 이럴 때 할아버지는 예리하고 뾰족한 침 같다. 뜨겁거나 들뜨지 않는다. 차갑게 내리꽂지만, 정확하고 꽂혀야할 곳에 꽂아놓아 신경을 자극한다.

"알겠어요. 그건 사생활이죠. 이만 가볼게요. 다음 주에 다시 올게요."

나는 시무룩해하며 그 집에서 나왔다. 대문을 여니, 누군가가 내 차에서 기웃거리고 있었는데 나와 눈이 마주쳤다. 워리 아저씨였다. 험악한 표정을 지으며 아저씨는 내 쪽으로 걸어왔다. 나한테 뭔가 따지러온 것 같은 낌새였다. 나는 인사하는 것이 내키지 않아 멀뚱히 쳐다보고만 있었다.

"너, 저번 주부터 선생님 이야기 듣고 있는 거지."

"그건 왜 물어보세요?"

"사실대로 말해."

"그걸 왜 말해야 하죠? 말할 필요도 없고 말하고 싶지도 않은데요."

갑자기 아저씨는 내 멱살을 잡았다. 아저씨의 손은 묵직했고 얼굴은 붉었다. 역겨운 담배 냄새가 내 얼굴에 뿌려졌고 입을 벌리니 누런 이가 눈에 띄었다. 나는 그 더러운 모습에 저절로 얼굴이 찌푸려졌다.

"애송아. 그 이야기는 내 거야. 내가 선생님한테 얼마나 정성을 쏟았는데. 갑자기 나타나서는 네가 그걸 가로채려고 해?"

"그 때 할아버지가 아저씨한테 이유를 정확하게 말씀드린 것 같은데요."

"너 같이 말도 안 되는 애송이가 운 좋게 그 이야기를 들었단 말이지. 하지만 선생님한테는 그 이야기가 삶의 정수나 마찬가지야. 피도 안 마른 애송이가 그 이야기를 가지고 장난칠 생각을 하니 피가 거꾸로 솟아서 참지 못하겠어. 왜 너 같은 놈들은 운이 좋은 거야! 젊은 놈이 외제차도 있고. 돈도 많으니 잘 살텐데 욕심 그만 버리고, 그 이야기 나한테 넘겨. 너는 필요 없을지 모르겠지만 나한텐 그 이야기가 필요해. 절실히 필요하다고."

아저씨는 얼굴을 내게 가까이 들이대며 말했다. 어렴풋이 술 냄새도 났고 눈에는 금방이라도 실핏줄이 터질 것 같았다. 어딘가 맛이 간 것 같아 보였다. 걱정을 잘 하는 것 말고도 이런 괴팍한 성격을 가진 사람이었나? 역시 사람은 한 번 보고는 모른다. 할아버지와 같이 있을 때는 이런 사람인지 몰랐다.

"왜 그렇게 이야기에 집착하시는데요? 아저씨야말로 만약 이야기를 들으면 어떻게 하실려구요? 저는 그 이야기 가지고 장난칠 생각이 없어요. 그리고 저는 아직 다 듣지 않아서 이야기의 가치는 잘 모르겠는데요, 이야기가 대단한 것이든 소박한 것이든, 할아버지가 저에게만 이야기를 말 한 이유가 있겠죠. 할아버지도 부담 없이 제 마음대로 하라고 하셨어요."

"그래서 네가 안 된다는 거야. 너 같이 젊은 놈들은 깊은 뜻을 몰라. 기미라는 것이 너에겐 아예 없다고. 네가 뭘 알아? 몇 살이나 됐어?"

"28살이요."

"어디서 말대답이야? 네가 뭐라도 돼?"

워리 아저씨는 손가락으로 내 이마를 툭툭 건드렸다. 나는 슬슬 화가 우럭우럭 올라왔다.

"물어봐서 대답해드린 것뿐이에요. 할아버지가 아저씨에게 이야기를 안 한 이유를 알겠네요."

"뭐?"

나는 아저씨의 손을 툭 치고 차 안으로 들어가 시동을 걸었다. 아저씨는 거칠게 창문을 두들기며 나오라고 말했다. 나는 무시하고 천천히 엑셀을 밟았다. 할아버지는 도대체 이 아저씨를 왜 가르치는 걸까? 가르쳐도 고쳐지지 않을 사람인데. 아저씨와 멀어졌을 때 나는 옷깃을 매만졌다. 옷이 다 늘어나있었다. 망할. 저런 사람이었다니. 나는 마음이 쉽게 진정되지 않았다. 핸들을 세게 잡고 엑셀을 지그시 눌렀다. 내가 운이 좋은 게 아니라 당신이 당신 운을 망친 거야. 사람이 다르게 사는 건 다 이유가 있어. 당신같이 역겨운 냄새를 풍기는 사람은 역겹게 사는 거라고. 나는 하고 싶은 말들을 입으로 곱씹으며 운전했다. 엔진 소리가 차 안에 가득 찼다.

집에 평소보다 빨리 도착했다. 그래도 운전을 하니 기분이 좀 나아졌다. 미니를 차고에 주차 해놓고 방으로 올라갔다. 나는 깨끗이 샤워를 하고 침대에 누웠다. 하얀 천장이 보였다.

심호흡을 천천히 하며 남은 화를 내보내려고 했다. 하지만 분이 풀리지 않았다. 그런 사람은 왜 살고 있는 걸까? 존재 이유가 무엇일까? 할아버지와 워리 아저씨는 나이가 많은 건 똑같은데 왜 그렇게 사람이 다를까. 할아버지의 말대로 사람의 진가는 나이가 들어서 나타나는 것일지도 몰라. 혹시 할아버지는 그 아저씨를 바꿔보려고 가르치는 걸까? 그건 불가능한 짓이야. 히말라야를 하와이로 옮기는 것만큼 불가능하다. 할아버지도 분명 알고 있을 텐데.

주말에 따로 약속을 잡지 않은 나는 시간이 남아돌아 침대에서 계속 생각만 했다. 과거와 최근 일어난 일들이 주를 이뤘다. 우연히 만나서 내게 이야기를 들려주는 할아버지, 나잇값 못하는 워리 아저씨, 식물을 좋아하는 어머니와 얼굴도 보기 힘든 아버지, 28번의 생일파티(그 중 기억나는 건 20번 정도지만)에서 일어난 일들, 일을 시작한 것, 주위에 어리석은 사람들의 얼굴과 행동들, 그로 인해 생겨난 실망감과 혐오감, 그리고 사람들의 이기적인 행동들, 나의 이기적인 행동들을 생각했다. 머리에서 폭죽이 터지듯 여러 장면이 떠올랐다.

28년을 살며 내가 알게 된 하나의 진실은, 사람은 이기적이라는 것이다. 남한테 베푸는 것도 사실은 모두 자기 자신의 만족을 위해서다. 그런데 자신만의 만족을 위해 살면서도 왜 고통스러운 걸까? 고통은 우악스러운 잡초처럼 세력을 넓혀 가고 뽑아도 계속 자라나는데 그에 비해 기쁨은 왜 그렇게 오래 가지 않는 걸까? 기쁨은 선이 아니라 점이다. 도통 이어질 생각을 하지 않는다. 내 입장을 생각해보아도, 건강하고 돈도 많고 일도 하고 여자도 언제든 만날 수 있고 부모님도 다 살아 계시고 이렇게 편안하게 생활하고 있다. 평범한 소시민보다 더 풍족하지만, 그럼에도 고통스럽다. 분명히 행복한 생활인데도 왜 고통을 받아야 하는지 그것이 이해가 안 간다. 어떠한 것이든 너무 지겹다. 권태롭다. 허전하다. 무언가 부족한 것 같은데 뭐가 부족한지도 모르겠다. 오히려 이런 풍족하고 안락한 생활이 나를 좀먹고 있는지도 모르겠다.

할아버지를 만나고 후부터는 확실히 '내 문제'는 열어졌다. 처음 만났을 때부터 그랬다. 동굴에 들어가기 전부터 그런 예감이 들었었다. 그래서 난 할아버지를 계속 만나고 싶었고, 만나고 있다. 만날수록 마음이 편안해지고 정화된다. 하지만 할아버지와 얼마 만나지 못할 것이라는 예감도 든다. 할아버지는 내 손에 잡히지 않아 언제든 나를 떠나버릴 것만 같다. 이야기가 끝나면 아마도 나를 안 만나지 않을까. 그 때가 되면 난 어떻게 될까.

똑똑. 어머니가 노크했다. 내게 점심은 먹었냐고 물어보았다. 시계를 보니 벌써 2시였다. 갑자기 허기를 느낀 나는 문을 열고 점심을 먹어야 한다고 말했다. 어머니는 금방 차려준다고 방에서 기다리라고 했다.

"그러지 말고 나가서 먹을까요?"

"나는 점심 먹었는데."

어머니는 기분이 좋아보였다.

"혼자 드셨어요?"

"아까 정원 관리사가 와서 겸사겸사 같이 밥 먹었어… 새로운 사람이 왔거든. 아까 먹고 남은 고기 구워줄게. 오늘은 약속 없니?"

"네. 없어요. 당분간 특별한 일 아니면 없을 것 같아요."

"희한하구나. 저번 주도 그렇고 이번 주도 그렇고, 정말 뭔가 변한 것 같아. 하루도 안 빼놓고 나갔었잖아. 혹시 무슨 일 있었니? 안 좋은 일이라도 있는 거야?"

"별 일 없어요. 그냥 만날 필요가 없다는 생각이 들은 것뿐이에요."

어머니는 머리를 갸우뚱거리고는 부르면 내려오라고 하고 계단을 내려갔다. 나는 의자에 앉았다. 내가 변했나? 생활 패턴은 확실히 변하기는 했지만 내 자체가 변한 것인지는 판단이 안 선다. 그런데 막상 사람을 만나지 않으니 시간이 남아돌아 뭘 해야 될지 모르겠다. 이런 게 싫어서 사람을 만났던 건데 그렇다고 또 만나고 싶진 않다.

영화나 볼까. 아니면 책? 요리? 퍼즐? 쇼핑? 노트북을 켜서 뭔가 할 게 없을까 검색했다. 그러다 어머니가 내려오라는 소리에 내려가 밥을 먹었다. 어머니는 잠깐 정원에 간다고 하고 나갔다. 혼자 먹으려니 허전하고 어색했다. 고기는 양념이 배어 달짝지근하고 맛있었다. 다 먹고 일어나 방으로 갔다. 나는 밥도 먹고 기운이 남아돌아 몸이 근질근질했다. 도대체 무엇을 해야 할까? 뭔가 할 게 없을지 방을 이리저리 둘러보았다. 가지런히 꽂혀있는 책장, 항상 나갈 준비가 되어있다는 듯 보스와 알마니 정장, 여러 명품 브랜드 옷으로 차있는 옷장, 깨끗한 책상과 화장실, 먼지 하나 없이 말끔한 거울이 방에 깔끔하게 배치되어있었다.

거울을 통해 내 모습을 보았다. 한 달에 한 번씩 손질을 한 덕분에 머리도 깔끔하고 피부도 잡티하나 없고 몸엔 군살이 없다. 피부가 안 좋았다면 피부과라도 다니면서 시간을 때웠겠지. 살이 쪘다면 헬스장에 갔을 거고, 여자가 나를 좋아하지 않았다면 어떻게 하면 나를 좋아할지 애를 태우며 고민했겠지. 돈이 없었다면 돈을 더 벌려고 궁리했을 텐데. 시간을 효율적으로 쓰고 싶은데 쓸모 있을 일이 없었다. 아니, 애초에 쓸모 있는 일이 뭐지? 돈을 버는 것이 쓸모 있는 일인가? 하긴 그것이 제일 쓸모 있는 일이긴 하지. 이익을 창출하는 일. 그런데 나는 돈이라면 많고 돈에 대해 더 욕심이 없다고! 나는 다시 침대로 가 걸터앉았다. 잠을 자기에는 너무 기운이 넘쳤다.

동굴에나 다시 가볼까. 문득 생각이 들었다. 할아버지가 있는 동굴이 아니라, 자전거를 탄 남자를 보았던 그 동굴 말이다. 오늘이 마침 토요일이니 또 만날 수 있을지도 모른다. 그래, 좋아. 직접 가서 궁금증을 풀어봐야겠어. 여기까지 생각이 미치자 나는 주저하지 않고 일어나 차고에 가려고 현관문을 열었다. 정원에는 어머니가 식물에 물을 주고 있었다.

"어디 가니? 약속 없다며."

"아, 잠깐 어디 좀 갔다 오려고요."

어머니는 의아한 눈으로 나를 보며 잘 갔다 오라고 하고 집으로 들어갔다. 나는 다시 미니를 타고 강원도로 향했다. 7월의 생일날에는 도로가 뜨거웠었는데 오늘은 선선했다. 도로 옆에 있는 산은 어느덧 파릇파릇함이 벗겨져 가을의 쓸쓸함을 연출하고 있었다.

9

주말이고 날씨도 선선해서 그런지 많은 차들이 강원도를 향하고 있었다. 도착했더니 벌써 해가 지고 있었다. 생일파티를 했던 캠핑장에는 사람들이 바비큐를 구워 먹고 있었다. 연기가 폴폴 나고 맛있는 고기 냄새가 났다. 평화로운 분위기 속에 사람들은 행복해보였다.

나는 그들을 가로질러 미영과 캠핑장에서 함께 멀리 헤엄쳤던 기억을 되살리며 물가를 따라 캠핑장 위쪽으로 걸어갔다. 한참을 걸어 올라가다가 오른쪽에 무성한 숲을 보았다. 내 짐작에 여기쯤이었던 것 같은데. 여기서 미영의 허리에 손을 두르고 숲으로 향했었는데. 물이나 숲의 모습이 비슷비슷하여 구별을 할 수 없으니 긴가민가했다. 일단 시간이나 거리상이나, 이쪽이 맞는 것 같으니 숲 쪽으로 걸음을 옮겼다. 하늘은 빠르게 어두워지고 있었다. 이럴 줄 알고 평소 차에 넣고 다니는 비상용 손전등을 들고 왔다. 내가 들어간 동굴 구멍도 샅샅이 훑어볼 수 있을 것이다. 나는 혹시 어두워서 놓칠까 손전등을 켜고 이리저리 둘러보았다. 하지만 동굴은 보이지 않았다. 계속 헤맸지만 이대로 찜찜한 채 돌아가고 싶지는 않았다.

띠링띠링. 그 때였다. 그 날처럼 자전거 경적소리가 들려왔다. 나는 아주 어려운 문제라도 해결한 듯 신나하며 소리가 나는 쪽으로 달려갔다. 소리는 점점 더 가까워졌다. 띠링띠링.

소리를 따라가니 동굴이 나왔다. 동굴에서는 빛이 새어나오고 있었다. 그 때랑 완전히 똑같다. 너무 똑같아서 혹시 내가 과거로 다시 돌아간 건 아닐까 착각이 들 정도였다. 소리는 동굴 속에서 들려왔다. 나는 주저함 없이 동굴로 들어갔다. 동굴의 모습은 그대로였다. 천장에 달린 전등과 막힌 길 밑으로 짐작되지 않는 깊이의 검은 물이 출렁이고 있었다. 왼쪽 사선으로 출구가 보였고 거기서 경적소리가 들려왔다. 또 저기서 자전거를 끌고 오는 걸까. 그 날도 토요일이었고 오늘도 토요일이었다. 시간도 아마 그 때와 비슷한 시간대일 것이다.

띠링띠링. 마치 거기서 기다리라는 듯 소리는 점점 더 커져왔고, 내 가슴도 더 요동쳐왔다. 마침내 자전거 탄 남자가 들어왔다.

그 날과 똑같은 눈과 표정으로 나를 쳐다보았다. 한 번 본적이 있음에도, 나는 긴장해서 몸이 딱딱하게 굳어버렸다. 남자는 자전거에서 내려 그 때처럼 물 쪽으로 손을 뻗었다. 물은 1분도 안되어 얼어버렸다. 여전히 적응되지 않는 이 비현실적인 장면에

등줄기가 오싹해졌다. 저 남자는 혹시 유령이나 외계인이 아닐까? 내가 초현실적인 광경을 목격하고 있는 건 아닐까? 말을 붙여보려고 했지만 내 입도 얼어버려 움직여지지 않았다. 마치 마법에 걸린 느낌이었다. 남자는 나를 계속 쳐다보았다. 자전거를 타고 얼음으로 쾅 하고 바퀴를 찍으며 길에서 내려왔다. 띠링띠링. 나를 향해 경적을 울렸다. 왜 이 남자만 보면 공포로 딱딱하게 얼어버리는지 모르겠다. 나는 몸을 움직일 수 없어 숨도 못 쉴 지경이었다. 그 때랑 완전히 똑같다. 이대로 가다간 남자는 구멍으로 들어갈 것이고 난 또 놓치겠지. 남자는 비웃듯이 나를 보고 웃고선 첫 번째 구멍으로 자전거를 타고 들어갔다. 구멍에 들어가서도 경적을 울렸다. 띠링띠링. 나는 한참 후에서야 얼음이 녹아내리듯 스르르 바닥에 주저앉았다. 경적소리는 점점 작아졌다. 이럴 때가 아니지. 나는 정신을 차려 손전등을 들고 얼음으로 내려가 첫 번째 구멍으로 뛰어갔다.

손전등으로 비춰 본 구멍은 충격적이었다. 다리가 여러 개 달린 징그러운 벌레들이 동굴 벽 사방에 붙어있었다. 그래서 그때 바닥이 미끄러웠던 건가. 내가 여길 통과했다는 사실이 떠올라, 비위가 약해져 헛구역질을 했다. 차라리 비춰 보지 말 걸 그랬다. 그 날 나는, 어두워서 보이지 않았기 때문에 이곳을 통과할 수 있었던 것이었다. 동굴 속 모습이 어떻게 생겼는지 알아버린 지금, 도저히 구멍에 갈 엄두가 나지 않았다. 나는 얼굴을 잔뜩 찌푸리고 다시 뒤로 돌아 얼음 위로 돌아왔다.

얼음 위에서 서성이며 어떻게 해야 할지 고민했다.

참고 들어가야 하나?

아니면 이대로 돌아가야 하나?

나는 한참을 서성였다. 시간이 지나니 경적소리는 이제 들리지 않았다. 그런데, 다른 소리가 들려왔다. 나는 그 소리에 바싹 얼어 몸을 움직이지 못했다. 얼음에 금이 가는 소리였기 때문이다!

나는 발밑에 있는 얼음을 쳐다보았다. 살짝 금이 가있었다. 금은 점점 길게 세력을 뻗어나가고 있었다. 그걸 본 내 머릿속은 새하얘졌다. 마음이 급해진 나는 반사적으로 살려달라고 울부짖었다. 결국 내 무게를 버티지 못한 얼음은 와장창 깨져버리고 말았고, 나는 동굴이 울리도록 커다랗게 비명을 질렀다.

10

얼음 밑으로 내 발이 쑥 들어갔다. 이제 나는 죽겠구나! 그런데, 발만 쑥 들어갔을 뿐이었다. 발이 무언가를 밟고 서 있었다. 바닥이었다. 천만 다행이었다. 나는 아직 살아있다는 걸 표현이라도 하듯 숨을 길게 후 내뱉었다. 깊어보였는데 얕은 물이었구나. 색이 짙어서 깊어보였는데, 막상 물의 높이는 놀랍게도 정강이밖에 되지 않았다. 순간적으로 다리에 힘이 풀려 주저앉아 엉덩방아를 찧고 말았다. 바지가 얼음물로 축축해졌다. 양 무릎에 손을 짚고 일어나 다시 돌아가려고 발로 얼음을 깨면서 길 쪽으로 걸어갔다. 손을 뻗어서 길 위를 짚어 올라가려는데, 등 뒤에서 누군가의 소리가 들려왔다.

"다쳤나요?"

소리가 나는 쪽으로 뒤를 돌아보았다. 자전거를 타며 경적소리를 울리던, 그 남자였다. 나는 놀라서 소리를 질렀다. 구멍 입구에서 쪼그려 앉아 나를 물끄러미 보고 있었다. 남자의 뒤에는 세워놓은 자전거가 보였고, 자전거 위로 자그마한 벌레들이 기어오르는 것을 볼 수 있었다. 자연 곱슬인지 파마를 한 것인지 알 수 없는 짧은 머리는 정돈되지 않아 엉망이었다.

"괜찮으세요?"

남자는 하얀 티셔츠에 안경을 닦으며 물어보았다.

"괜찮아요."

갑자기 나에게 말을 거는 남자 때문에 나는 어안이 벙벙해졌다.

"다행이네요. 이상한 소리가 들려서 온 건데 아무 일 없어 보이네요."

빙긋 웃으며 남자는 내 머리부터 발끝까지 훑어보았다. 기묘하게 생긴 사람 같지 않은 남자가 사람과 같이 말을 하니 뭔가 어울리지 않았다. 저 남자에겐 내가 알아듣지 못할 외계어 같은 언어가 더 잘 어울릴 것 같았다. 나는 혹시 남자가 나를 해치지는 않을까 바짝 긴장했다. 갑자기 입에서 불이 뿜어져 나오거나 숨겨놓은 레이저 검을 꺼내면 어떡하나 조마조마했다. 농담이 아니라 정말로 그런 생각이 들만큼 저 남자는 기묘하게 생겼다.

"저기, 사람이에요?"

"네?"

"저랑 똑같은 사람 맞아요?"

나는 경계심을 풀지 않고 물어보았다. 남자는 닦은 안경을 다시 쓰고 내 얼굴을 자세히 쳐다봤다. 그리곤 큰 소리로 호탕하게 웃더니 대답해주었다.

"네. 나도 사람이에요. 보세요. 얼굴, 몸통, 팔, 다리. 겉보기에 똑같아 보이죠? 픽션을 많이 좋아하시나 봐요."

자신도 사람이라는 걸 증명이라도 하는 듯 손으로 설명하는 부위를 가리키며 말했다. 그래도 계속 내가 경계심이 담긴 눈빛으로 쳐다보자, 남자는 안심하라는 듯 옷도 털고 짧은 머리카락도 털어내며 자신에겐 위험한 것이 아무 것도 없다고 증명이라도 하는 것처럼 행동을 했다. 그런 움직임에 나는 조금 안심했지만 아직 긴장을 다 풀지 못했다. 물어봐야 할 게 몇 가지 더 남았다.

"그럼 여기서 도대체 뭐하는 거예요?"

"나요?" 남자는 손가락으로 자기를 가리켰다.

"연구 중인데요."

"무슨 연구요?"

"여러 가지요. 여기가 연구하기에는 여러모로 최적의 장소거든요."

"혹시 위험한 연구를 하는 건 아니에요? 사람한테 알려지지 않은 이런 곳에서 도대체 뭘 하신다는 건지… 폭탄을 개발해서 사람을 해칠 연구를 하는 건 아니냐고요."

"농담 좀 그만하세요. 내가 정말 지구를 침공하러 온 외계인처럼 보이는 거예요? 이래서 내가 터무니없는 이야기를 싫어한다니깐."

남자는 어깨를 으쓱하며 고개를 설레설레 흔들었다.

"상황이 그렇잖아요. 당신 같이 독특한 인상을 가진 사람은 처음 봤어요."

"그거 칭찬이시죠? 아, 저번에도 한 번 여기에서 나를 보지 않았나요?"

남자는 그 날을 기억하고 있는 모양이다.

"기억하시네요."

"네. 여기 온 사람은 극소수이거든요. 게다가 와서 내 얼굴을 두 번이나 보는 건 손가락에 꼽을 정도에요. 인적이 드물거나, 새롭고 이상한 곳에 사람들은 가길 두려워하잖아요. 흥미롭네요. 당신은 어떻게 여기를 오게 된 거에요?"

'당신은' 이라는 말이 차갑고 어색하게 들렸다.

"저는 캠핑을 왔다가 멀리서 경적소리가 들려서 얼떨결에 여길 발견하게 됐어요."

"오, 쓸모없는 짓을 할 정도의 여유와 용기가 있는 분이군요. 반가워요. 나는 황현이라고 해요."

남자는 내게 손을 내밀었다. 다섯 손가락이 온전히 있는 손이었다.

"최건희입니다."

나도 손을 내밀어 서로 악수했다. 황현의 손은 얼음처럼 차가웠다.

"이 물은 어떻게 순식간에 얼린 거죠?"

경계심이 살짝 풀린 나는 궁금했던 것을 물어보았다.

"일급 기밀인데요."

황현은 빙긋이 웃었다가 차분하게 말을 이어갔다.

"이 장치는 내가 만들었어요. 아직 연구 중이어서 알려드릴

수가 없네요. 원리를 간단히 말씀 드리자면, 액체에서 고체가 되는 것은 온도의 차이 때문이죠. 제로(0)가 되는 순간, 마법 같은 변화가 시작되는 거예요. 단순해요. 원인을 몰라서 내가 초능력이라도 쓴 것처럼 느껴졌을 텐데, 모든 결과에는 반드시 원인이 있어요. 생각하기 싫어하는 사람들은 어떤 사건이 일어났는데 원인을 모르면, 그걸 운명이라는 말로 통틀어 말하곤 하죠. 예를 들어, 사람과 사람이 만나면 우연이나 운명이라고들 많이 말하는데, 그것은 단순히 우리가 만나게 된 원인을 몰라서 그런 거예요. 우리의 힘으로는 그걸 알 방도가 없죠. 만약 지구의 모든 광경을 위에서 내려다 볼 수 있다면, 시간을 되돌려 모든 시간의 경과를 파악할 수만 있다면, 원인을 알게 될 수 있을 텐데… 그나저나 발이 굉장히 차갑지 않아요? 빨리 올라가야 동상에 안 걸릴 텐데요."

그 말을 들은 나는, 손을 짚고 팔에 힘을 줘서 입구 쪽의 길로 다시 올라갔다. 그의 말대로 발은 얼음장처럼 차가웠다. 이제 멀리 나의 사선에 있는 그는 나를 관찰이라도 하듯 빤히 쳐다보았다. 나는 이제 그가 정말 사람처럼 보였다.

"저는 정말 그쪽이 외계인은 아닐까 생각했어요. 아까도 말했듯이 제 상황에선 그렇게 보였거든요."

황현은 내 말에 또 호탕하게 웃고선 대답했다.

"아, 정말 그럴 수도 있겠네요. 그런데 내가 그걸 원한 것이기도 해요. 누구에게도 방해받지 않고 연구를 하고 싶어서 이곳에 오게 됐어요. 처음에 이 동굴에는 물이 없었죠. 바닥도 울퉁불퉁했고 별다른 노력 없이 동굴 안에 있는 이 구멍으로 들어갈 수도 있었어요."

황현은 첫 번째 구멍을 손으로 가리켰다.

"이곳이 마음에 든 나는 바닥을 깎고 장치를 설치하고 물을 받아 놓아, 아무도 이 구멍으로 들어올 수 없게 만들었죠. 이렇게 만든 곳에서 실험도 할 수 있고요."

황현은 아까부터 존댓말을 쓰긴 했지만 자신을 가리키는 주어는 높이지 않았다. 하지만 이것이 부자연스럽지 않고 오히려 그에게 아주 잘 어울리는 말투라고 느껴졌다. 딱딱하고 정중한 존댓말 속에서의 풍겨져 나오는 그의 자신감과 거만함이 잘 드러났다.

"나이가 20대 초반으로 보이는데 머리가 굉장히 좋은 것 같네요."

"어, 내가 20대 초반으로 보여요?"

황현의 안경 속의 눈은 초롱초롱했다.

"나 올해 마흔인데요."

"네?!"

나는 할아버지가 구십이 넘었다고 말했을 때처럼 놀라웠다. 저 얼굴이 마흔이라니! 세상은 넓고 예외인 사람은 많구나.

"믿기지가 않네요."

"내가 마흔처럼 보이지 않나요?"

"마흔 먹은 다른 사람들의 얼굴이랑 비교하면 많이 다르죠."

"뭐, 사람들은 전부 제각각 다르니까요. 마흔을 먹은 얼굴의 기준이 따로 있나요? 딱히 내가 특별하다곤 생각이 들진 않네요."

그는 덤덤히 말하고선, 엉망진창인 머리를 손으로 쓰다듬으며 이제 들어가 봐야한다고 했다. 나는 그를 불러 멈춰 세웠다. 아직 궁금한 것이 남았다. 어리둥절해하는 그의 얼굴은 세상물정 모르는 갓 대학에 입학한 신입생의 얼굴이었다. 나는 설명을 들어 그를 알게 되었어도, 여전히 그의 존재 자체가 신기했다.

"경적소리는 왜 낸 거예요?"

"여기 올 때 경적을 울리며 오는 것을 좋아해요. 호기심이 많아서 그런지, 궁금한 것이 많으시네요."

황현은 나를 보며 싱긋 웃었다.

"제가 처음 봤을 때 황현 씨가 너무 궁금해서 저 구멍으로 쫓아갔었어요. 하지만 황현 씨는 보이지 않았죠."

"난 쫓아오는지는 몰랐는데, 그랬어요? 혹시… 저 구멍 끝까지 가보셨나요?"

나는 잠시 고민했다. 할아버지를 봤단 말을 해야 하나? 할아버지 는 자신이 거기에 있다는 것이 비밀이라는 말을 내뱉지 않긴 했지만, 황현에겐 말하지 않는 것이 좋지 않을까, 라는 생각이 자연스럽게 들었다. 왜 이런 생각이 들었는지는 모르겠다. 아니다, 혹시 이 사람이라면 구멍 끝까지 가서 할아버지를 봤을 지도 모른다. 내가 아무 대답을 안 하고 있자, 황현은 나를 뚫어지게 쳐다보더니 말했다.

"가봤군요. 아무 말을 안 하고 있는 걸 보니. 가지 않았다는 것이 사실이었다면 즉각 말을 했겠죠. 거기서 늙은 남자를 보지 않았나요?"

"그 쪽도 봤어요?"

"네. 직접 본 건 아니고, 그 분을 잘 알아요. 하지만 그 분한테 여기 내가 있다고 말하지 말아주세요. 그 분의 비밀도 지켜드리고 싶으니깐. 나도 여기에 있는 것이 비밀이기도 하거든요. 이제 궁금한 건 다 풀렸죠? 난 이만 가볼게요."

황현은 말을 마치고 뒤에 있는 자전거 페달을 굴리며 홀연히 벌레가 가득한 구멍으로 들어갔다. 나는 너무 많이 물어보아서 더 물어보기가 민망했다. 그를 방해하고 싶지 않았다. 어느 정도 궁금증이 풀리기도 했고, 궁금한 것이 생기면 여기에 또 와서 물어보면 된다. 아마 그는 계속 이곳에 있겠지.

나는 동굴 밖으로 나왔다. 벌써 밤이 되어 별과 달만 빛이 나고 모든 것이 깜깜했다. 손전등을 켜려고 찾았는데, 어디에도 보이지 않았다. 동굴에 두고 왔나 싶어 다시 동굴로 들어가니, 동굴의 전등도 어느새 꺼져있었다. 황현이 껐을 것이다. 아마도 얼음이 깨져 주저앉았을 때, 물속으로 손전등이 빠진 모양이다. 핸드폰이라도 비춰보려고 했지만 배터리가 얼마 남지 않아 플래시를 켤 수 없었다. 나는 하는 수 없이 어둠 속을 헤쳐서 걸었다. 계속 걷다보니 멀리서 빛이 보였다. 캠핑장의 빛이었다. 가까이 갈수록 소란스러웠다. 캠핑장의 가운데에 모여 사람들은 대화를 나누고 있었다. 나는 멀찌감치 떨어져 내 차로 돌아가려 했는데, 전화를 하고 있는 남자가 보였다. 나를 본 남자는 전화를 끊고 내게 와서 말했다.

"여기 놀러오셨으면 같이 먹어요. 닭 맛있게 구워놨는데."

선하고 사람 좋아하는 인상의 남자였다. 나는 아까 전의 일로 기력이 빠져 배가 출출했다. 망설이고 있는데, 남자는 빼지 말고 오라며 내 팔을 붙잡고 사람들이 모여 있는 곳으로 끌고 갔다. 테이블에는 과일과 맥주와 구운 닭이 놓여있었다. 사람들은 남자와 남자가 끌고 오는 나를 번갈아 쳐다보았다. 나는 바빠서 가야 한다고 팔을 잡은 손을 계속 빼려고 했지만 남자도 만만치 않았다.

"닭이 남아요! 괜찮으니까 그냥 먹고 가세요."

능글맞게 웃으면서 남자는 접이식 의자를 들고 와 펼쳐, 나를 거기에 앉혔다. 할아버지 집에서 앉는 의자와 똑같아 왠지 반가웠다. 한 쪽에 모닥불도 켜져 있었다. 이렇게 된 이상, 신발도 젖었고 출출하니 잠깐 앉아 있다가 가볼까. 시계를 보니 8시가 넘었다. 9시 전에는 출발하자고 생각했다.

인원은 스무 명 조금 안되었다. 나이가 제각각이었다. 다들 웃는 얼굴로 나에게 인사를 해주었고, 나도 인사를 하고 이름을 말했다. 한 아줌마가 어디 쪽에서 묵냐고 물어봐서, 나는 여기 볼 일이 있어서 지나가는 길이었는데 잠깐 앉아있다 가라고 해서 오게 되었다고 했다. 나를 끌고 온 남자는 내게 통통한 닭다리를 접시에 담아 주었다. 닭다리는 맛있었다. 왼쪽에 앉은 젊은 여자는 내 신발을 보고 왜 이렇게 젖었냐고 물어보았다. 여자는 머리를 하나로 묶어서 땋았는데 귀여웠다. 얼굴이 동글동글하고 몸에 큰 갈색 담요를 두르고 있었다. 그것이 꼭 판쵸 같아 인디언 느낌이 났다.

"감기 걸리겠어요. 신발이랑 양말을 벗어서 저 불 옆에 두세요."

여자는 친절하게 말했다. 여자 말대로 신발과 양말을 벗어서 불 옆에 놔두었다. 자리에 다시 돌아와 앉자 여자는 담요 속에서 손난로를 하나 던져줬다. 손난로는 뜨끈뜨끈했다. 나는 고맙다고 인사했다.

사람들은 여행을 주제로 이야기하고 있었다. 3년 다니던 회사를 그만두고 남미를 일주한 이야기, 대학교를 휴학하고 북유럽으로 떠난 이야기, 눈이 쌓인 추운 바닥에 누워 오로라를 본 이야기, 그 외에도 갖가지 이야기를 펼쳐내 서로의 공감대와 흥미를 형성하며 온화한 분위기가 만들어지고 있었다. 취업이나 현대사회의 비판, 회사생활에 대한 걱정과 에피소드도 말했다. 누구나 조금한 것이라도 걱정을 가지고 있었기에 이야기는 꼬리를 물고 계속 이어졌다. 다들 자신의 이야기를 말하는 것을 좋아했다. 그에 비해 나는 여기 있는 사람들과 비슷한 걱정거리가 없었고, 여행이야기도 주절주절 말하고 싶지 않아서 계속 듣기만 하고 있었다. 아, 오히려 걱정거리가 없이 편안해서, 사는 게 재미없다는 것이 걱정이라 할 수 있을까?

"건희 씨는 어디 갔다 온 곳 있어요?"

소란스러운 가운데 내게 손난로를 준 여자가 말했다. 여자는 좀 전에 혼자 이곳에 캠핑을 왔다고 말했었다.

"저는 영국에서 공부 좀 하다가 왔어요. 일본이나 미국도 여행했고요."

"그렇구나. 영국 음식은 맛없다는데."

여자는 맛없는 음식을 먹고 있는 것처럼 일그러진 표정을 지으며 말했다.

"뭐, 그럭저럭 먹을 만했어요. 그런데 전 한국음식이 제일 맛있더라고요. 외국에서 맛있는 거 먹어도 결국 한국 음식이 그리웠어요."

"저는 외국 음식이 더 맛있던데. 한국 음식은 질려요."

잠시 우리는 침묵했다. 나는 배터리가 얼마 남지 않은 핸드폰을 바지 주머니에서 꺼내보았다. 아직 꺼지지 않았다. 화면 속 디지털시계를 보니 벌써 9시 32분이었다. 황급히 이만 가봐야겠다고 인사한 후, 양말과 신발을 신고 그 자리를 떠났다. 양말은 기분 좋게 바싹 말랐지만, 신발은 아직 물기가 남아있어 축축했다. 내 옆에 앉은 여자는 내가 가는 것을 아쉬워하는 눈치였다.

걸어가서 차 문을 열려고 하는데 누군가 내 팔을 붙잡았다. 그 여자였다. 어두운 주차장에서 여자의 검은 눈은 반짝이는 수정구슬처럼 생기가 넘쳤다.

"시간도 늦었는데 여기서 묵고 가요. 빈 카라반도 있을 텐데. 깜깜하면 운전하는데 위험하잖아요."

여자가 옷깃을 살짝 잡고 있는 모습이 귀여워보였다. 하지만 그 뿐이었다. 더 이상의 욕구는 생기지 않았다. 나는 얼른 집으로 돌아가서 편안하게 내 방 침대에서 팔 다리 쭉 펴고 자고 싶었다. 나는 내 팔에서 여자의 손을 조심스레 떼어냈다. 여자의 손을 두 손으로 따뜻이 감싸며 잘 자라고 하고 차를 탔다. 그런데 반대편 차 문을 열고 그 여자가 들어왔다.

"저 그럼, 드라이브 좀 시켜줘요."

여자는 막무가내였다. 나는 조금 피곤해졌다. 어떻게 하면 여자가 다시 저 캠핑장으로 돌아갈 수 있을까, 잠시 생각했다. 그러다 여자의 손을 잡고 다른 손으로는 볼을 쓰다듬었다. 여자는 눈을 감았다. 그리고 조용히 입을 맞췄다. 차 안에는 숨소리와 입을 맞추는 소리로 가득 찼다. 여자는 아무 거부도 하지 않고 적극적으로 내게 스킨십을 했다. 이런 것을 원했던 거였어, 역시 여자는 내게 호감을 가지고 있었다.

잠시 입만 맞추고 여자를 보낼 계획이었는데, 그만 나도 모르게 빨려들어 생각지도 않았던 관계도 맺고 말았다. 정신을 차려보니 차 안은 난장판이 되어 있었다. 핸드폰은 배터리가 다 떨어져 꺼져있었고 차의 시계를 보니 10시 40분이었다. 여자의 얼굴은 홍조를 띠며 아주 흡족한 모습이었다. 내 볼에 입을 맞추고는 고맙다고 말했다. 여자는 옷을 추슬러 입은 후 내게 조심히 가라고 말하고 차에서 나가 캠핑장으로 돌아갔다. 뒤도 안 돌아보고 여자는 떠나버렸다. 당돌한 여자였다. 나는 졸음과 후회와 씁쓸함이 몰려왔다. 입만 맞추고 그대로 집으로 돌아왔어야 했다. 그 찝찝한 감정은, 운전을 하여 집으로 와서 씻고 침대에 누워서까지 남아 있었다. 너무 피곤했던 나는 금방 곯아떨어졌다. 새벽 2시가 넘은 시간이었다.

11

다음 날, 눈이 부셔 저절로 눈이 떠졌다. 11시가 넘었다. 일요일에는 보통 어머니가 잘 깨우지 않는다.

또다시 일요일이구나. 침대에서 하얀 천장을 바라보며 잠시 멍 때리다가 어제 있었던 일이 뭉게뭉게 떠올랐다.

자전거를 탄 남자, 황현을 만난 것과 캠핑장 사람들의 이야기를 들은 것, 인디언 같은 복장의 여자와 관계를 맺은 일. 그리고 할아버지의 이야기와 내 멱살을 잡은 워리 아저씨.

다들 나름대로의 삶을 살고 있었고, 무언가를 좇고 욕망하고 생기가 있었다. 나는 뭔가를 진지하게 욕망할 것이 없어서 삶이 지겹다고 느끼는 것일 수도 있겠지. 그나저나, 생각해보니 황현을 제외한 다른 사람들의 이름을 몰랐다. 다음에 할아버지를 만났을 때 이름을 물어 봐야겠다고 생각했다.

출출하여 침대에서 빠져나와 요기를 하려고 1층으로 내려왔다. 어머니는 나가고 집에 없었다. 파스타나 만들어 먹을까. 냉장고를 열어 버섯, 야채, 새우, 바질 페스토를 꺼내고 면을 삶았다. 면이 삶아지는 동안 재료를 썰었다. 프라이팬에 버섯이랑 야채랑 새우를 넣고 볶다가 바질 페스토를 넣고 끓였다. 그리고 삶은 면을 넣고 좀 더 볶은 다음 그릇에 담았다. 연둣빛의 파스타 면이 그릇 위에서 꿈틀거렸다. 이제 먹는 일만 남았다. 바질 페스토를 많이 먹는 편은 아니었다. 처음에는 맛있어서 잘 먹었지만, 항상 끝에 가서 지겨워져 먹기가 불편했기에 자주 먹기는 힘들었다. 그래서 가끔 해먹고는 했다. 오랜만에 먹으면 질리지 않고 처음 느낀 강렬한 맛을 또다시 느낄 수 있었다.

나는 아무 생각 없이 스파게티 면에 입혀진 바질 페스토의 맛을 음미했다. 그러다 나도 모르게 번뜩 떠오르는 생각이 있었다. 그러고 보니, 나는 무언가 먹을 때 생각이 번뜩이는 것 같다.

최근에, 사람을 잘 만나지 않고 어머니와 시간을 같이 보냈던 일, 새로 생긴 사건들, 오랜만에 먹는 바질 페스토, 이 세 가지의 공통점은 내게 권태를 잠시 잊게 해주고, 즐거움을 줬다는 것이다. 그 이유는 오랜만이고 색다르고 새로웠기 때문이다. 그렇다면 바질 페스토를 오랜만에 먹는 것처럼, 자극을 최대한 줄이고 조금씩 자극을 주면 분명 마음에 더 와 닿을 것이고, 인생에 대한 지긋지긋한 감정도 사라질지도 모른다. 어찌됐든 죽을 때까지는 살아야하니 말이다. 계속 이대로 살 수는 없다!

그렇다면, 나에게 있어서 오랜만이거나, 색다르거나, 새로운 것? 스파게티 면을 포크로 돌돌 돌리며 나에게 그런 것이 무엇이 있을지 곰곰이 생각해보았다. 내게 **당연한 것**은 돈이 많은 것, 풍족한 것, 걱정이 없는 것, 대부분의 여자들은 나에게 넘어온다는 것이었다. 당연한 것을 반대로 행동하면 색다른 것이 된다. 반대로 색다르게 행동하다가, 다시 나에게 원래 당연했던 것을 하게 되면 당연한 것은 내게 새롭게 느껴지게 될 것이다. 하지만 새롭게 느껴졌던 것도 다시 당연한 것이 되면 반대로 행동하면 된다. 클래식이 질리면 락을 듣고, 락도 질리면 클래식을 듣고, 클래식이 또 질리면 다른 음악을 듣는 것처럼 말이다. 이 과정을 끊임없이 반복하면 된다.

좋은 생각이었다. 왜 나는 계속 내가 했던 것만 하면서 지루함에서 벗어나려고 발버둥을 쳤지? 아예 습관 자체를 물구나무서기하는 것처럼 바꿔버리면 됐었는데, 이렇게 간단한 것을 이제야 생각하다니. 나도 썩 머리가 좋은 편은 아닌가 보다. 씻어도 씻어지지 않던 어딘가에 있는 속의 때가 시원히 녹아 없어지는 기분이 들었다. 정신이 맑아진 나는 입술이 스파게티 소스로 인해 초록색으로 범벅이 되는 지도 모르고 스파게티를 맛있게 먹으며 내가 할 행동들을 세세하게 짚어봤다. 스파게티를 다 먹은 후, 방으로 올라가서 펜과 종이를 꺼내 새로운 계획의 지침들을 적어 내려갔다.

- 한 달에 백만 원으로 살기.

아무 생각 없이 카드를 긁는 나로썬 내가 한 달에 얼마를 쓰는지도 몰랐기에 이 액수가 적당한지 가늠할 수 없었다. 하지만 내게는 적은 돈이 분명했다. 백만 원으로 기름 값, 식비, 옷, 술

값 등을 모두 해결해야 한다. 경조사비나 차가 갑자기 고장이 나버리면 수리비는 어떻게 충당해야 하지? 모르겠다. 일단 닥치는 대로 해보고 아니다 싶으면 계획을 수정해야지. 생각만 해도 한숨이 나오긴 했지만, 정말 내가 백만 원으로 살 정도의 형편이 아니라 단지 시도에 불과하다고 생각하니 마음이 편해졌다. 잠시 체험해본다고 생각하면 된다. 이것이 지겨워질 때까지만.

나에게 '당연하지 않은 것' 중, '걱정이 많은 것'과 '나를 좋아하지 않는 여자를 넘어오게 하는 것'은 어떻게 실행해야 될지 모르겠다. 나를 좋아하지 않는 여자가 생기면 걱정이 생기려나? 하지만 마음만 먹으면 나를 좋아하지 않는 여자는 없었다. 나를 좋아하지 않는 여자는 어떤 여자일까? 그리고, 없는 걱정을 어떻게 해야 만들어낼 수 있는지 난 잘 모르겠다. 술을 매일 먹거나 담배를 피우면 건강에 대해 걱정을 하게 될까? 회사를 그만두면 취업걱정을 하게 될까? 그런데 이게 뭐하는 상황이지? 내가 어떻게 하면 걱정거리를 창조할 수 있는지 생각해야 하다니, 갑자기 정말 쓸데없는 짓이라 생각되어 내 자신이 바보같이 느껴졌다. 그런데 이 과정도 머지않아 또 지겨워지는 건 아닐까? 지겹지 않기 위해 행동을 하려는 '시도' 자체까지 지겨워진다면, 그때 나는 어떻게 해야 할까? 일단 먼 미래까지는 모르겠다. 생각이 너무 많아진다. 어찌할 수 없는 것은 놔두고 할 수 있는 것을 우선 해봐야겠다.

돈을 줄이는 것부터. 그러려면 신용카드를 한 개로 줄여야했다. 사용할 카드의 한도부터 조절했고 나머지 카드들은 책상 서랍에 넣었다. 대략적인 식비와 경비를 생각하여 한 달 지출계획을 세워보았다. 내가 지출계획을 세우다니, 지출계획은 아예 생각조차 하지 않았었다. 이런 건 처음 작성해보는 거라 서툴러서, 지출 항목을 적었다 지웠다가를 반복해야 했다. 여간 귀찮은 일이 아니었지만, 나는 새로운 것에 벌써부터 흥미를 느끼고 있었다. 그렇게 계획을 세우고 이것저것 하다 보니 일요일은 그렇게 흘러갔다. 잡다한 걱정은 싹 사라져버린 후였다.

월요일부터 계획은 실행되었다. 계획은 대충 이러했다. 점심은 구내식당에서 싸게 해결하고, 일주일에 두 번 정도는 대중교통을 이용해야 한다(오랜만에 이용해봐서 이것도 재밌을 것 같다). 매일 외식하거나 쓸데없이 비싼 옷과 화장품도 자제해야 되고 여자나 후배는 되도록 만나면 안 된다. 심심하면 돈이 안 드는 것으로 시간을 때워야 한다. 그러려면 주로 집에서 생활해야 하는데, 게임, 책, 음악, 영화, 청소 등이 있다. 어차피 사람만나는 것도 지겨워졌으니. 토요일에 할아버지만 보러 가면 된다. 되도록 나한테 도움이 되는 것을 하면 보람도 느껴지겠지. 최대한 지출을 줄이고, 만약 돈이 남는다면 예금에 넣는다. 중대한 프로젝트를 하나 맡은 기분이 들어 활기가 솟았다.

출근길은 늘 그렇듯 차가 밀렸다. 대중교통은 월요일과 수요일에 이용했는데 예상보다 사람이 굉장히 많아 놀랐다. 이렇게 많은 사람이 이용하다니! 서울에서 사는 사람들은 죄다 나온 것만 같았다. 사람이 많은 덕에 재밌는 체험도 했다. 갑자기 급정거를 할 때, 손잡이를 잡지 않아도 절대 엎어지는 일이 없다! 그리고 사람들의 표정은 어떻게 하나같이 그렇게 음울할 수 있을까? 졸린 표정, 슬픈 표정, 지겨운 표정, 멍한 표정, 우울한 표정. '어두운 표정' 종합 세트에 비하여 내 얼굴만 싱글벙글이라는 것이 이상하게 웃겼다. 소리 내어 웃고 싶었지만 웃으면 안 될 것 같은 분위기였다. 그것마저 웃겼다. 왜 웃겼는지 모르겠지만 자꾸만 웃음이 났다. 아무래도 오랜만에 대중교통을 이용해서(게다가 사람도 심각하게 많아서) 정신이 좀 나가있던 것 같다. 사람이 너무 많아 내가 사람같이 느껴지지 않을 정도였으니.

어쨌든 이러저러한 이유로 나는 생글생글 웃으며 출근했다. 금요일까지 이 상태와 나의 계획은 유지되었다. 오히려 지키기 너무 쉬워서 내가 쓸데없는 짓을 했나 회의감이 잠깐 들기도 했지만 활기만큼은 원래의 생활방식보다 더 커져서 일단 계속해봐야겠다고 생각했다. 아니면 돈을 더 줄여봐야 하나? 토요일에 할아버지를 만나면 이것에 대해서 이야기해봐야겠다. 뭔가 해결책을 주시겠지? 할아버지와 대화할 생각에 저절로 웃음이 났다.

12

토요일 오전 8시 55분. 할아버지 집 앞에 도착했다. 세 번째 방문이었다. 혹시 워리 아저씨가 또 와서 멱살을 잡을까 걱정이 되어 주위를 살펴보았지만 다행히 아무도 없었다. 언덕 밑으로 나란히 주택단지들과 저 멀리보이는 산만 보일뿐이었다. 대문과 현관문을 열고 집으로 들어왔다. 오늘도 역시 잠겨있지 않았다. 거실에는 아무도 없었고, 문이 열리는 소리에 2층에서 할아버지가 내려와 나를 반겼다. 할아버지는 장미처럼 붉은 셔츠에 아이보리색 면바지를 입고 있었다. 붉은 색덕분인지 오늘따라 더 젊어보였다. 나는 할아버지를 보고 기분이 좋아져 활짝 웃음꽃을 폈다. 이렇게 보기만 해도 기분이 좋아지는 사람이 있다니. 많이 만나지 않았지만 할아버지가 내 친할아버지처럼 친근하게 느껴졌다.

우리는 2층으로 곧장 올라갔다. 문을 열자 여전히 방은 정갈하게 빛이 났다. 방 중간에 서서 허리를 곧게 세우고 있는 할아버지의 모습에 울컥하고 그리움이 몰려왔다. 갑자기, 아주 오랜만에 본 것 같이 느껴졌기 때문이었다.

"할아버지. 보고 싶었어요."

말을 뱉고 나니 쑥스러웠다. 내 말을 듣자마자 할아버지는 큰 소리로 웃었다.

"이번 일주일이 길었나 보지? 이야기가 빨리 듣고 싶었어?"

"모르겠어요. 갑자기 그리움이 느껴져요. 저 이런 감정 처음 느껴 봐요."

"처음이라고? 헛살았군, 헛살았어. 넌 정말 덩치만 컸지, 아직도 애송이구나."

할아버지는 내 눈을 뚫어지게 쳐다보더니 눈 속에서 뭔가 발견이라도 한 듯 놀라면서 말했다.

"근데, 너 뭔가 변화가 있는 것 같은데, 무슨 일 있었지? 권태가 잘 보이지 않는데?"

"맞아요. 요즘에 처음 해 보는 일을 하고 있거든요. 도대체 어떻게 아시는 거예요?"

"감이지, 감. 처음 해 보는 일이 뭔데?"

"돈을 계획해서 쓰는 일이요. 평소보다 적은 돈으로요."

"적은 돈이면 얼마지?"

"한 달에 백만 원이요."

할아버지는 내 말에 또 큰소리로 웃고선 비꼬듯이 말했다.

"많은 거 아니야? 이왕할 거면 화끈하게 십만 원으로 줄이고 생활해보지 그래?"

"그건 저한테 너무 적어요. 백만 원도 빠듯하단 말이에요."

"그래, 어련히 알아서 하겠지. 어찌됐건 새로운 일을 해보는 건 좋지. 자신이 만든 제약으로 자유를 느끼는 것도 중요하고. 근데, 그렇다고 너의 권태가 사라질 수 있을까?"

"모르죠. 해봐야 아는 거죠. 그래도 일단은 하고 나서 지긋한 느낌은 없어졌어요."

할아버지는 내가 하는 말에 웃음을 멈추지 않았다. 비웃음인지, 순수한 웃음인지 나는 구분할 수 없었다.

"그렇게 반복하다 보면 나처럼 늙어있겠지. 그러다 죽는 거야."

할아버지의 '죽는 거야'라는 소리는 나를 불편하게 만들었다. 나는 아주 뜨거운 냄비라도 만진 듯 반사적으로 화제를 돌렸다.

"근데 할아버지, 성함이 어떻게 되세요?"

"이름? 그건 왜."

"궁금하니까요."

할아버지는 잠시 생각하더니 대답했다.

"그냥 황 할아버지라고 불러. 황 씨니까."

황씨? 나는 동굴에서 연구하는 황현이 떠올랐다. 그 사람과 성이 똑같았다. 같은 동굴에 있는데 성도 똑같네. 그러고 보니 둘 다 '심하게' 젊어 보인다는 공통점이 있었다. 혹시 두 사람은 잘 아는 사람이거나 친척관계는 아닐까? 할아버지에게 물어보려고 입을 열었지만, 황현이 자기가 거기에 있다는 것을 비밀로 해달라고 했던 것이 떠올라 벌린 입을 서서히 다물어야 했다. 분명

둘이 어떤 관계를 맺고 있을 것 같은데 이걸 어떻게 물어봐야 좋을지 나는 생각했다.

"갑자기 왜 말이 없어. 성만 말해줘서 섭섭해?"

"아니, 그런 게 아니에요."

나는 잠시 침묵하여 머리를 굴렸다.

"그 때, 동굴에서 제가 자전거 탄 남자를 봤다고 했잖아요."

"응, 그 남자가 왜? 내 말대로 직접 가서 누구냐고 물어봤어?"

뭐라고 대답해야 될지 몰라 주저하다가 입을 열었다.

"할아버지는 정말 그 남자를 본 적이 없어요?"

"나는 네가 말하는 남자 모른다니깐. 난 그 구멍 안을 보기만 했지, 너처럼 무모하게 통과해본 적이 없어. 저번에도 말했는데 왜 또 물어보는 거야."

할아버지는 아무 것도 모른다는 얼굴로 진실을 말하고 있었다. 황현만 할아버지를 알고 있는 것 같다. 일단, 비밀로 해달라고 했으니 입을 닫고 있어야겠지. 그렇지만 넘어가기에는 석연치 않았다. 할아버지의 얼굴을 보니 황현과 닮은 구석도 있는 것 같았다. 생각이나 행동이 범상치 않은 것도 닮았고, 아직 소년 같은 인상도 닮았다. 나는 눈으로 바느질하듯 촘촘히 할아버지의 이목구비와 몸을 뜯어보았다.

"왜 그렇게 나를 봐? 돈을 적게 쓰더니 어디 이상해진 거 아니야?"

본인한테 직접 물어볼 수도 없고. 내게 '그 분의 비밀을 지켜드리고 싶다'고 말하던 황현의 신중한 얼굴이 떠올랐다. 이건 황현의 비밀만이 아니라 할아버지의 비밀과도 연관되어있는 것 같다. 말하지 않는 것이 좋겠어. 나는 일단 할아버지에게 질문하는 것은 그만두고 나중에 황현에게 가서 물어보자고 생각했다.

"아니에요. 이제 하던 이야기나 계속해주세요."

"그래. 커피 마실래?"

"설탕 두 스푼 넣어주세요. 오늘은 달달하게 먹고 싶네요."

"단 거 싫다면서."

"바뀔 수도 있는 거죠."

할아버지는 알겠다고 하고는 방을 나갔다. 나는 창 밑 바닥에 놓인 접이식 의자를 발견하고 할아버지의 의자 옆에 가져와서 펼쳤다. 고무나무는 여전히 상한 곳 없이 반질반질했다. 할아버지는 두 개의 머그잔을 들고 금방 돌아왔다. 나는 조그만 접이식 의자에 앉았고(거의 걸터앉았고) 할아버지는 반달 책상에 머그잔을 놓고 나무 의자에 앉았다. 따뜻한 커피 한 모금으로 목을 축이고 할아버지는 이야기를 시작했다.

*

첫 번째 점은 계속 슬퍼하며 자신의 몸에서 검은 방울들을 떨어뜨렸어. 보이지 않는 적이 아닌, 첫 번째 점, 바로 자신이 세 번째 점을 사라지게 했다고 생각해서 더 고통스러웠어. 자신이 떨어뜨린 검은 방울을 맞고, 세 번째 점이 감쪽같이 사라져버렸으니깐. 그 슬픔은 두 번째 점이 없어졌을 때보다 훨씬 더 컸고 오래 갔어. 그 땐 이만큼 슬프지 않아 검은 방울을 떨어뜨리지도 않았었지.

첫 번째 점은 고통스러워하고 있지만, 지금까지 발견된 자신의 세 가지의 놀라운 사실을 잊어버리고 있었어. 우린 여기에 주목해야해.

첫 번째 사실은 강렬하게 원하면 원하는 대로 모양을 바꿀 수 있다는 것.

두 번째 사실은 자유자재로 움직일 수 있다는 것.

세 번째 사실은 슬플 때 자신의 몸에서 검은 점이 떨어진다는 것이었지.

원래 하지 못했던 일을 하는 것은 아주 놀라운 일이야.

시간은 하염없이 흘러갔고, 첫 번째 점은 다시 원래 생긴 대로 천천히 돌아왔어. 검은 방울을 많이 쏟아냈기 때문에 몸이 조금 작아진 것 외에는, 일부분이 뜯겨지고 동그랬던 원래의 모양은 똑같았지. 하지만 첫 번째 점은 자기가 원래대로 돌아왔는지, 방울이 떨어지며 자신의 몸이 줄어들었는지도 몰랐어. 지금 자기 자신이 어떻게 생겼는지 관심조차도 없었고, 오직 다른 점에 자신을 비춰봐야지만 자신이 어떻게 생겼는지 알 수 있었기 때문이지.

시간이 또 지났어. 첫 번째 점은 어느 정도 진정되자, 다시 잠을 자고 꿈을 꾸기 시작했어. 오랜만에 다채롭고 신비로운 영상들이 첫 번째 점에게 보였지. 첫 번째 점은 그 영상들을 보고 세 번째 점에게 받았던 상처를 치유 받았고, 조금씩 살이 차올라 다시 원래의 크기로 돌아올 수 있었어. 황홀한 영상들이 끊임없이 첫 번째 점 앞에 아른거려, 이제 첫 번째 점 안에는 슬픔이 아예 없어졌고 방울을 떨어뜨리는 것도 멈추었어. 첫 번째 점은 완전히 고통에서 벗어나 새로운 감정인 기쁨이 생겨나는 것을 온몸으로 만끽했어. 기쁨으로 차오른 점의 주위에는, 두 번째 점이 없어져 고통스러워하다가 이겨냈을 때처럼, 오로라 같이 펄럭이는 아름다운 기운이 다시 맴돌았어. 여전히 너무 가까이 기운이 맴돌았기에 첫 번째 점은 이걸 보지 못했어.

꿈을 꾸고 영상을 보고, 이러기를 반복하며 시간은 흘러갔어. 첫 번째 점은 그러다 잊어버리고 있었던 '세 가지의 놀라운 사실'을 기억하게 되었고, 자신이 그랬다는 것에 지금에서야 신기해하고 놀라워했어. 그래서 다시 모양을 바꿔보고, 움직이고, 자기 몸에서 검은 점을 떼어 내보려고 했는데, 그 때처럼 잘 되지 않는 거야. 게다가 다른 점이 없어서 자신을 비춰보지 못하니 모양이 바뀌었는지 모르겠고, 움직이는 것 역시 이 주위에 아무도 없어서 기준이 없기에 정말 자신이 움직이고 있는지도 잘 모르겠는 거야. 움직여도 제자리걸음을 하고 있는 것처럼 느껴졌지. 억지로 검은 방울이 몸에서 떨어져 나가지도 않았어. 또, 집중하려고 하면 잠에 들어버려 꿈의 영상이 보였어. 그 때는 세 번째 점이 옆에 있었기에 집중을 잘할 수 있었던 것은 아닐까? 이상하게 혼자 있으니 아무 것도 안 됐고, 돼도 확인할 수 없었어.

첫 번째 점은 포기하지 않고 계속 연습했어. 마음처럼 잘 되지 않았지만, 점의 주위에 오로라 같은 기운은 사라지지 않고 계속 맴돌았어. 첫 번째 점은 자신도 새로운 무언가를 했었다는 것을 알게 되어 여전히 기뻤기 때문이야.

시간이 지나고 그 기운은 점점 커져 첫 번째 점에게 보일 정도로 되었어. 첫 번째 점은 기운을 처음 봤기에 깜짝 놀랐어. 영롱하고 신비한 색으로 펄럭이는 기운은 이때까지 스쳐 지나간 점들과는 아예 달랐기 때문이야. 처음 보는 색과 움직임, 형체였지. 첫 번째 점은 그 기운에 경계심이 들었다가 아름다운 색깔과 움직임에 홀려 그것을 가까이에서 느껴보려고 했어. 하지만 절대 만지지 못했어. 첫 번째 점은 움직일 수 있었지만, 그 기운은 점의 주위를 따라 같이 움직였기 때문이야. 지구와 달처럼 말이야. 그리고 첫 번째 점은 아까 말했듯이, 움직이고 있어도 자신이 움직이고 있다는 걸 몰랐어.

첫 번째 점은 자신이 움직인다는 걸 모른 채, 계속 움직이다가 깨알만한 검은 점을 발견했어. 시간이 갈수록 조그만 점은 점점 커졌어. 사실 그 점은 가만히 있었고, 첫 번째 점이 움직여 그 점에게 가까이 갔기 때문에 점점 커지는 것처럼 보였던 거야. 첫 번째 점은 그 점을 보고 '이 점은 몸을 커지게도 할 수 있구나' 하고 생각하며 말을 걸어볼까 했는데, 그 점이 먼저 첫 번째 점에게 말을 걸었어. 그리고 그

점은 네 번째 점이라고 하자.

"가까이 오지 마! 부딪히겠어!"

첫 번째 점은 자신이 움직이고 있는 걸 몰랐기 때문에 어리둥절했어. 네 번째 점의 크기는 첫 번째 점이 봤을 때 계속 커졌어.

"네가 커지고 있잖아. 너야말로 커지는 걸 줄여."

"멈춰! 멈추라고! 난 커질 수 없단 말이야!"

아, 내가 움직이고 있는 거구나. 첫 번째 점은 그제야 눈치를 채고 재빨리 움직임을 멈췄어. 첫 번째 점 주위의 영롱한 기운이 네 번째 점에게 닿지 않는 선까지. 그러자 네 번째 점의 크기는 커지지도 작아지지도 않았어. 네 번째 점은 첫 번째 점보다 커다랗고 까만 점이었어. 뜯겨진 곳 없이 완벽하게 동그란 원이었지. 꽉 차오른 보름달처럼.

"넌 어떻게 움직이는 거야?" 네 번째 점은 첫 번째 점에게 물어봤어.

첫 번째 점은 어떻게 자신이 움직이기 시작했는지 네 번째 점에게 설명해주었어. 그리고 두 번째 점과 세 번째 점을 만난 이야기도 같이 해주었지. 그리고 검은 방울이 떨어져나가는 것과 다른 모양으로도 바꿀 수 있는 것도 이야기해주었어. 이야기를 해주면서 첫 번째 점은 네 번째 점의 모습에 자신을 비춰보았어. 첫 번째 점은 자신의 약간 일그러지고 둥근 모습이 원래대로 돌아온 것을 알고서는 네 번째 점에게 덧붙여 말했어.

"그런데, 모습이 변하도록 노력하는 걸 계속 집중하지 않으면 원래대로 돌아오는 것 같아. 나를 너한테 비춰보니 다시 돌아온 게 보여."

네 번째 점은 두 번째 점이나 세 번째 점과 다르게, 첫 번째 점의 이야기를 진심으로 잘 들어주었어. 그래서 첫 번째 점은 자신이 보고 듣고 느끼고 생각했던 모든 이야기를 전부 다 막힘없이 술술 말할 수 있었어. 저절로 이야기가 쏟아져 나오는 거야. 심지어 자기가 몰랐던 자신의 속내까지 다 털어놓게 됐지. 그렇게 대화를 하며 첫 번째 점과 네 번째 점은 아주 친밀해졌어. 첫 번째 점은 말을 다 할 수 있었기에 속이 후련하고 기분이 좋아서 계속 영롱한 기운이 뻗쳐나갔어.

"나는 네가 대단하다고 생각해. 난 아무 것도 본 적도, 한 적도, 시도한 적도 없어. 그런데 너 주위에 있는 그 아름다운 건 뭐야?"

네 번째 점이 말했어.

"나도 모르겠어. 이걸 느껴보려고 계속 움직이다가 널 찾은 거야. 이게 뭘까? 내가 기분이 좋아질수록 점점 커지는 것 같아. 지금 몸이 터질 것 같이 기분이 좋거든!"

"그럼 기분에 따라 너의 상태가 달라지네. 슬플 때는 검은 방울이 떨어지고, 기분이 좋아지면 이렇게 주위에 아름다운 것이 둘러지게 되고. 나도 한 번 만져보고 싶다. 너무 예뻐."

첫 번째 점은 네 번째 점이 만져볼 수 있게 가까이 가려고 했어. 그런데 문득, 세 번째 점이 자신의 검은 방울을 맞고 순식간에 사라져버린 것이 떠오른 거야. 혹시 이것도 닿으면 네 번째 점이 사라져버리는 건 아닐까 걱정이 돼서 첫 번째 점은 움직이지 않았어. 네 번째 점까지 사라지게 하고 싶지 않았고, 만났던 점들 중에서 가장 마음에 들었기 때문이야.

"안 돼. 이걸 만지면 네가 위험할 거야."

"꼭 만져보고 싶어. 황홀한 기분이 들 것 같아. 보기만 해도 이렇게 좋은데. 나한테 가까이 와 줘."

"절대 안 돼."

네 번째 점은 시무룩해져 아무 말하지 않았어. 첫 번째 점은 그런 네 번째 점을 계속 타일러 보았지만 소용이 없었어. 네 번째 점은 이렇게 말했어.

"있잖아, 나는 여기서 가만히 있는 것 말고는 아무 것도 해 본 것이 없어. 사라져버려도 괜찮으니 꼭 한 번만 만져보고 싶어."

첫 번째 점은 네 번째 점이 만지기를 원할수록 슬퍼졌기 때문에, 영롱한 기운은 다시 첫 번째 점의 눈에 보이지 않는 정도까지 줄어들어버렸어.

"기운이 줄어들고 있어."

첫 번째 점과 네 번째 점은 동시에 말했어. 혹시 아예 사라졌나, 첫 번째 점은 네 번째 점에 자신의 모습을 비춰보았어. 아직 얇게 기운은 남아있었어.

"네가 날 슬프게 해서 그래. 만지면 네가 사라져버릴 거란 말이야. 예감이 안 좋아. 난 널 잃고 싶지 않아."

"사라지지 않을 수도 있잖아. 그리고 사라져도 괜찮다니깐."

"내가 안 괜찮아!"

첫 번째 점과 네 번째 점은 계속 실랑이를 벌였고, 결국 둘은 서로 말을 하지 않게 될 정도로 사이가 안 좋아졌어. 첫 번째 점의 영롱한 기운은 사라져버렸고, 검은 방울도 조금씩 떨어뜨리기 시작했어. 마음이 너무 안 좋은 나머지 첫 번째 점의 모습은 제멋대로 이리저리 바뀌기도 했어. 울퉁불퉁해졌다가, 길쭉해졌다가, 전부 다 뜯겨 톱니바퀴처럼 되기도 했어. 네 번째 점은 그 역동적인 모습이 너무 놀라워서 말을 걸지 않을 수가 없었어. 그래서 첫 번째 점에게 조심스럽게 말을 걸었어.

"저기… 네가 말한 게 이거구나. 정말 놀라워. 자유자재로 모양을 바꿀 수 있다니. 난 저렇게 안 되는데. 혹시 나는 너보다 커서 안 되는 걸까?"

기분이 좋지 않았던 첫 번째 점은 네 번째 점의 말에 기분이 풀어져버렸어.

"아니야. 너도 할 수 있을 거야. 아니면 너는 다른 걸 할 수 있을지도 몰라."

"나도 널 처음 만났을 때 기뻤고, 너랑 말을 안 해서 슬펐는데도 아무런 변화가 없었어. 나는 아무 것도 할 수 없나봐. 도대체 난 무얼 할 수 있을까?"

첫 번째 점은 어떻게 하면 네 번째 점에게도 조금의 변화를 줄 수 있을지 생각해보았어. 이 세상에 대해 아무 것도 아는 것이 없었지만, 자신의 경험 중 사소한 것까지 생각하려 했어.

"내가 아는 건… 이곳에는 우리 둘 말고 아무 것도 없다는 거야. 무언가 나타났다가도 갑자기 사라져버리기도 해. 그리고 내가 처음으로 본 것은 어떤 영상들이었지. 아, 혹시 너에게도 영상이 보였니?"

"까만 것이 보이기는 했지만 그것뿐이었어. 너는 어떤 영상들이 보였는데?"

"아주 역동적이고 대단하고 인상 깊은 영상들이었어. 그런데 나는 그걸 통제하지 못해. 자기 마음대로 나타나서는 사라져버려. 내가 제일 인상 깊었던 영상은 맨 처음에 본 영상이야."

첫 번째 점은 기억해내려고 생각에 잠겼는데 또 깜빡 잠에 들어버렸어. 네 번째 점은 첫 번째 점이 말해주는 인상 깊은 영상을 듣고 싶었는데 갑자기 대화가 끊겨 답답했어. 첫 번째 점을 계속 불러보았지만 아무 대답이 없었어.

시간이 지나고 지나도, 첫 번째 점은 깨어나지 않아 아무 것도 없는 공간에는 침묵만 계속됐어. 시간이 너무 많이 지났기 때문에 네 번째 점은 혹시 첫 번째 점이 죽은 건 아닐까 걱정이 되기 시작했고, 한 번 시작된 걱정은 빠르게 눈덩이처럼 부풀어 올랐어. 네 번째 점은 너무 슬퍼졌어. 이렇게 슬픈 건 처음이었지. 몸이 갈라지듯이 아팠어. 그런데, 네 번째 점의 몸이 정말 갈기갈기 갈라지고 있는 거야. 조금씩, 지그재그 모양으로 말이야. 네 번째 점은 몸이 갈라지는 것처럼 아픔을 느끼긴 했지만, 정말 자기의 몸이 갈라지고 있으리라곤 전혀 몰랐어.

첫 번째 점은 마침내 기나긴 잠에서 깨어났어.

'이번 영상은 정말 이상했어, 도대체 그게 무엇일까?'

골똘히 생각하며 앞에 있는 네 번째 점을 바라보았는데, 첫 번째 점이 보기에 아무 이상 없어보였어. 검은 색이었기 때문에 갈라지고 있는지 미처 보지 못했던 거야.

"나, 또 영상을 보고 왔어. 이번에는 정말 특이했어. 영상을 보고 올 때마다 너무 행복해. 벅차올라."

네 번째 점은 이 말을 듣고 첫 번째 점이 죽은 것이 아니었던 걸 알게 됐어. 정말 다행이라고 생각한 네 번째 점은 이제 슬프지 않았지만, 보이지 않는 갈라짐은 멈추지 않았기 때문에 몸이 아팠어. 한 번 갈라진 것은 다시 붙지 않았어.

"나는 도중에 네가 말이 없어서 죽은 줄 알았잖아. 얼마나 오랫동안 말이 없었는데… 다행이야. 근데 나 너무 아파. 몸이 산산조각이 난 것처럼 아파."

"아파?"

첫 번째 점은 네 번째 점의 커다랗고 동그란 몸을 보았지만 아무 이상이 없었어.

"정말 아파. 갈라지고 있는 것 같아."

"근데 갈라짐은 없어."

"금방이라도 깨질 것만 같아."

"내가 죽은 줄 알아서, 그래서 아프기 시작한 거야?"

네 번째 점은 사실대로 말하면 첫 번째 점에게 또 상처가 될까봐 아무 말하지 못했어.

"아니야. 그냥 갑자기 아파. 왜 그러는지 모르겠어."

네 번째 점은 그 말을 뱉은 순간, 더 이상 말을 이을 수가 없었어. 극에 달한 고통이 번개처럼 네 번째 점을 스쳤기 때문이야. 갈라짐은 온 몸으로 퍼져 금방이라도 깨질 것 같아, 말을 하려고 힘을 주는 순간 자신이 산산조각이 날 거라는 걸 네 번째 점은 본능적으로 깨달았어.

'난 슬프면 검은 방울을 떨어뜨리는 점과는 다르게 갈라져버리는 성질을 가지고 있었구나. 산산조각이 나면, 나는 사라져버리게 되는 걸까? 사라지면 나는 어떻게 되는 거지? 다시 태어나서 점을 만날 수 있을까? 이대로 헤어지고 싶진 않은데… 어쨌든 앞으로 다섯 마디정도의 말을 하면 나는 깨져버릴 거야.'

네 번째 점은 다섯 마디의 말을 할 힘을 어떻게 써야 할까 생각했어.

첫 번째 점은 네 번째 점이 갑자기 말이 없어져서 걱정됐어.

"많이 아파서 말이 안 나오는 거야?"

아무리 말해도 네 번째 점은 대꾸할 수 없었어.

"그러면 네가 아프지 않게 내가 재밌는 이야기를 해줄게. 혹시 재밌고 즐거우면 아픈 것이 없어질 수도 있으니깐. 내가 아까 정말 이상한 영상을 봤다고 했잖아. 그 영상에서는 난 점이 아니었어. 나는 아마도 다른 것이었어. 그럴 거야. 영상이 희미하고 기억이 잘 안나. 장면이 이어지지 않아. 내 주위에 있던, 네가 만지고 싶어 하는 영롱한 기운보다 더 아름다운 것이 되었어. 모양도 단순하지 않아. 아주 복잡하고 다채로워. 그건 무엇이었을까? 도저히 설명하지 못하겠어. 내가 본 영상을 너한테도 똑같이 전해주고 싶은데 답답해. 그게 무엇인지 모르니 뭐라고 말해야 될지도 모르겠어. 너무 어려워. 내가 영상을 그대로 떠올리려고 하면 그 장면이 너한테도 보일까? 우리의 생각이나 마음이 지금 속으로 말이 전해지는 것처럼 영상도 전해질까? 영상에 대한 이야기를 예전 점들에게도 자세하게 해주려고 했는데 그러지 못했어. 다 사라져버렸거든. 이렇게 상세하게 이야기해보려고 한 것이 네가 처음인데, 이렇게 설명하기가 어려울 줄 몰랐어. 있잖아, 나는 잘 설명할 수 있을 줄 알았어. 내가 직접 보았으니까 완전히 내 것인 줄 알았어. 그런데 나는 그냥 바보 같은 검은 점일 뿐인가 봐. 보기만 해서는 설명하지 못하나봐. 이제 알았어. 정말 재미없는 이야기가 되어버렸네. 미안해. 내가 다시 영상을 보면 그 땐 어떻게든 설명해보려고 영상에 집중해볼게."

네 번째 점은 그래도 재밌었다고 말해주고 싶었지만 말을 아꼈어.

"말이 없는 걸 보니 아직도 아프구나. 아니면 너도 영상을 보고 있어서 말이 없는 거니? 빨리 나아야 같이 더 많은 이야기를 할 텐데. 너도 다른 걸 할 수 있게 도와줄 텐데… 내가 너에게 해줄 수 있는 일이 없을까?"

네 번째 점은 계속 침묵했어.

"말 좀 해봐. 죽은 거야? 멀쩡해 보이는데 아픈 거야? 도대체 뭐야? 내가 싫어서 말을 안 하는 거야? 말을 안 하니까 무섭잖아. 그래서 내가 계속 말을 하게 돼. 이 침묵이 싫어."

첫 번째 점은 계속 말을 이어갔어.

"내가 생각해봤는데, 너랑 나랑은 모양이 비슷하지만 분명히 다르기 때문에 네가 나처럼 되지 못하는 것 같아. 나는 너보다 조그맣고 한 쪽이 뜯겨진 모양이야. 그래서 내가 움직이고, 검은 방울을 떨어뜨리고, 모양을 바꿀 수 있는 게 아닐까? 너는 커다랗고 뜯겨진 곳 없이 매끈해서 그럴 필요가 없는 거야. 난 네가 아무 것도 못하고 나와 달라도, 네가 정말 좋아. 왜 계속 말이 없어? 네가 아파서 사라져버리면 어쩌지? 네가 사라지면 난 또 혼자가 돼. 아무 것도 없는 이곳에서 혼자가 되도 이제 버틸 수 있지만, 난 같이 있는 게 더 좋아. 두 번째 점이나 세 번째 점이랑 같이 있었던 것보다 너랑 같이 있는 것이 훨씬 더 좋아."

첫 번째 점의 말을 듣고 네 번째 점은 슬퍼져 더 아려왔어. 금방이라도 깨질 것 같아 네 번째 점은 간신히 마음을 추스르며 버텨냈어. 이대로 말도 못 하고 깨지기는 싫었어. 네 번째 점은 안간힘을 써서 슬픈 감정을 다스리려 했어. 첫 번째 점에 대한 좋은 감정 쪽으로 감정을 쏠리게 했어. 하지만 감정을 제어하기란 아주 어려운 일이었지. 감정은 마치 독립된 생명체인 것 같았어.

"나도 네가 좋아."

결국 네 번째 점은 말을 뱉었어. 기쁘고 좋은 말을 몸에 울리게 하여 슬픈 감정을 밀어내보려고 했어. 마치 주문을 외워서 악귀를 몰아내려는 것처럼.

"말을 할 수 있구나!"

첫 번째 점은 네 번째 점의 말에 마냥 좋았어.

"다행이야. 죽은 게 아니었구나. 너도 내가 좋구나. 나도 네가 너무 좋아."

첫 번째 점은 기뻐서 다시 주위에 영롱한 기운이 뻗치기 시작했어. 첫 번째 점은 자신의 기운이 희미했기에, 기운이 생긴지 몰랐지만, 네 번째 점한테는 그 기운이 보였어.

"너랑 가까이 있고 싶어."

첫 번째 점은 기운이 생긴 지도 모르고 네 번째 점에게 가까이 있고 싶다며 천천히 다가갔어. 저 기운이 가까이 닿으면 정말 내가 사라져버리는 건 아닐까? 네 번째 점은 첫 번째 점에게 가까이 오지 말라고 말을 해야 할지 고민이 됐지만 그 동시에, 너무 고통스러웠기에 차라리 사라져버렸으면 좋겠다고 생각했어.

'저 기운을 느끼고 사라져버린다면 후회하지 않을 거야. 어쩌면, 사라지지 않을 수도 있어.'

네 번째 점은 첫 번째 점이 가까이 오기만을 기다렸어. 가까이 갈수록 기운도 점점 더 커져갔어. 그런데 가까이 가보니, 네 번째 점이 산산조각이 나있다는 걸, 자신의 기운이 또다시 생겼다는 것을 첫 번째 점은 이제야 알게 되었어. 하지만 이미 늦었지. 첫 번째 점이 그걸 본 순간, 네 번째 점은 밀려들어오는 첫 번째 점의 아름다운 기운을 갈라진 몸의 틈새로 가득히 느낄 수 있었어. 아, 바로 **이거**였구나. 네 번째 점은 아픔, 슬픔, 기쁨, 놀라움, 황홀함, 느낄 수 있는 모든 감정과 깊숙이 숨겨져 있는 감정까지 동시에 느꼈고, 이 감정들이 첫 번째 점의 감정들과 아름다운 기운, 네 번째 점의 갈라진 파편과 전부 정신없이 섞이면서 이상한 것이 나타났어.

*

"여기까지."

할아버지는 숨을 큰소리로 내쉬었다. 현실로 돌아오는 소리였다.

"휴, 온 힘을 다해 말해서 그런지 진이 다 빠지네. 오늘이 제일 힘들구나. 더 이상 못 말하겠어. 빌어먹을, 정말 언어로 옮겨서 말하기 더럽게 힘드네."

"저도 이야기를 듣는 내내 숨이 막혔어요."

나는 이야기가 끝나자 온몸에 긴장이 탁 풀렸다.

"정말 숨 막히는 이야기네요. 놀랍고 새롭고 재밌고 머릿속의 퍼즐이 다시 맞춰지는 느낌이에요. 이 느낌을 도대체 뭐라고 해야 하죠? 뭐라 말로 설명할 수 없는 그런 이야기에요. 첫 번째 점이 자신이 본 영상에 대해서 설명하지 못해 답답한, 딱 그 심정이에요. 할아버지의 손을 잡고 깜깜한 동굴 속으로 들어갔는데, 할아버지가 동굴의 끝을 손가락으로 가리켜요. 가리킨 손에는 사람이 한 번도 보지 못한 장면이 있었어요. 그 희한한 광경을 보고 이걸 누구에게 설명하려고 하면 자꾸 어두운 동굴만 말하며 헤매게 되는, 그런 심정이랄까?"

"지금 비유를 말한 거냐?"

할아버지는 숨을 급하게 쉬는 와중에도 큰 소리로 웃었다.

"이상한 비유지만 그럭저럭 잘 이해한 것 같네."

"도대체 둘한테 무슨 일이 일어나는 거예요? 오늘 그냥 다 들어버리고 싶어요."

나는 이야기의 뒷부분을 빨리 듣고 싶었다.

"궁금하지? 상상해봐. 무슨 일이 일어날지."

할아버지는 찡긋 윙크를 했다.

잠시 방에는 침묵이 감돌았다. 나는 흥분을 잠시 가라앉히고 커피를 마시기 위해 머그잔을 들었지만, 이미 비어져있었다. 이야기를 들으면서 다 마셔버린 걸 깜빡했다. 정신이 없었다. 그러다 갑자기 저번 주에 내 멱살을 잡은 워리 아저씨가 떠올랐다.

"할아버지."

할아버지는 가만히 나를 쳐다보았다.

"워리 아저씨를 저번 주에 집 앞에서 봤어요. 이 이야기를 내놓으래요."

"그 놈, 나한테도 왔었어."

"할아버지는 도대체 왜 그 아저씨를 가까이에 두는 거예요? 정신이 온전치 못한 것 같아요. 화만 버럭버럭 내고, 할아버지와 있을 때랑 저랑 있을 때랑 사람이 달라져요. 이야기를 달라고 제 멱살까지 잡았어요. 분명 그렇게까지 하는 데는 무슨 이유가 있는 게 틀림없어요. 이야기를 팔아먹고 싶어서 그런 게 아닐까요?"

할아버지는 한숨을 내뱉었다.

"그럴 지도 모르지. 이상하게 그 놈이랑은 인연이 끊어지지가 않아. 미운 정이 들었는지 계속 보고 싶더라고. 원래부터 나쁜 사람은 아니야, 그 놈이. 회사에서 나이가 차니 희망퇴직을 권고하여 정년보다 일찍 퇴직했대. 그 때쯤에 아내가 바람이 나 이혼도 하고 자식은 다 커서 이미 결혼하고 떠나버렸지 뭐야. 기러기 아빠였던 것 같은데. 아마 지금 퇴직금이고 뭐고 돈도 없을 거야. 몇 십 년을 뼈 빠지게 일했는데 남은 건 고독과 가난과 성치 않은 몸뿐만 남았지. 여의치 않은 상황이 사람을 그렇게 만들어놓은 거야."

"아, 그런 사연이 있었구나… 혹시 그 아저씨도 자기랑 같이 수업 받는 어린 애가 할아버지 친손자라는 사실을 알아요?"

"아니, 몰라."

"근데 왜 그걸 저한테만 말씀하셨어요? 이야기도 저한테만 하고. 워리 아저씨도 들었으면 좋았을 텐데 말이에요."

"몰라. 그냥 그렇게 하고 싶었는데."

"정말 제멋대로이시네요."

"저번에도 말했지만 나는 시간이 얼마 안 남았어. 시시콜콜 설명해주기도 벅차. 그냥 그러려니 해주면 안 될까? 가족한테는 내가 짐이 될까봐 그런 거야. 아들이랑도 연을 끊은 지도 오래됐고."

아들 생각을 하는지 할아버지의 안색은 좋지 않아보였다. 나는 이때다 싶어 넌지시 물어보았다.

"아들은 뭐 하시는 분인데요?"

할아버지는 내 질문에 잠시 침묵하다가, 말을 꺼냈다.

"지금은 뭐 하는지 모르지… 살았는지 죽었는지도 몰라. 마지막으로 봤을 때는 나와 같이 연구를 하다가 의견이 충돌하던 때였어. 우리 둘 다 고집이 굉장했지. 그 아버지에 그 아들이지 뭐. 서로 절대 주장을 굽히지 않았고 사이는 점점 멀어지다가 결국은 연마저 끊어지게 됐어. 하나 뿐인 아들인데… 그런데 십년 넘게 지나서, 며느리가 자기 아들을 나한테 보낸 거야. 나와 연을 끊고 몇 년 후에 임신을 했던 모양이야. 내 생각해서 손자라도 보라고 배려해준 거지. 그 대신, 비밀로 보는 거야. 며느리는 나와 내 아들이 그런 꼴이 된 걸 보고는, 자기 아들은 어느 한쪽으로 치우치지 않게 하고 싶어 했어. 그래서 일부러 아들과 정반대인 나한테 손자를 맡긴 것도 있었지."

"시간이 많이 흐른 것 같은데, 이제라도 아들분하고 화해하시는 건 어때요?"

"아니, 만나면 또 싸울 거고 더 싸우다가 내가 먼저 죽겠지. 서로 안 본 사이에 의견은 더 갈라졌을 거야. 게다가 아들이 나랑 만나기를 절대적으로 원하지 않아."

나는 침묵하고 할아버지를 보았다. 할아버지는 아들 이야기를 하면서 계속 씁쓸한 표정을 지었다. 오늘은 할아버지가 자신의 나이, 구십 대처럼 보였다. 아, 할아버지는 정말 얼마 남지 않았다. 틀림없다. 마음 한구석이 아려왔다. 나는 더 이상 할아버지가 늙고 괴로워하는 모습을 보고 싶지 않았다.

아들 생각에 잠겼는지 멀뚱멀뚱 창밖만 보던 할아버지는 내 얼굴을 물끄러미 보며 말했다.

"아들을 마지막으로 봤을 때, 아들 나이가 너랑 비슷했어. 가끔 너를 볼 때마다 아들 생각이 나. 둘이 닮았거든."

"닮았어요?"

"아들도 너처럼 집념이 강했지. 눈동자가 맑고 진했어. 그 눈이 닮았어. 그래서 내가 너에게 이야기를 해준 지도 모르겠다."

할아버지는 그리운 표정으로 나를 바라보다 내게 시간을 물었다. 12시 30분이었다. 시간을 듣고 깜짝 놀란 할아버지는 태도가 돌변해 빨리 가라고 하면서 내 등을 마구 밀어댔다. 나는 좁은 의자에 오래 앉아있었기 때문에 일어나는 데에 시간이 걸렸다.

"갑자기 아들 얘기를 하느라 늦어버렸잖아!"

나는 등살에 못 이겨 허둥지둥 빠져나와 뻐근한 몸으로 차에 올라탔다. 시동을 켜는데 연료가 얼마 남지 않은 것을 확인하고 주유소에 들려 채웠다. 기름을 채운 후, 운전해서 집으로 오는 길에 조의 문자가 왔다. 회사동료였다.

오늘 마침 튀지 않은 옷을 입은 나는 바로 방향을 돌려 장례식장에 들렸다. 회사동료의 검은 옷을 보고 할아버지의 이야기 속 검은 점들이 떠올랐다. 첫 번째 점과 네 번째 점은 부딪쳐서 둘 다 죽게 되는 건 아닐까. 검은 색은 죽음을 연상시키기도 한다. 잠시 결말이 어떻게 될지 생각하다가, 회사동료의 친척들이 차려주는 상에 앉아 육개장과 기름만 잔뜩 있는 수육을 먹으며 생각을 잠시 밀어 넣었다. 술도 마시고 싶었지만 끌고 온 차 때문에 자제했다. 회사동료는 아버지 상이었는데 슬픈 표정 없이 무덤덤했다. 오늘 새벽, 갑자기 동맥경화로 심장마비가 와서 고비를 못 넘기고 돌아가셨다고 했다. 회사동료는 평상시 밝은 모습 그대로였다.

할아버지가 돌아가시면 그의 아들도 무덤덤해할까, 아니면 후회할까. 노년을 혼자서 동굴에서 생활하거나, 낡은 집에서 생활하는 것은 할아버지 본인이 분명 좋아해서 그렇게 했겠지만, 나는 그런 할아버지가 안쓰럽게 느껴졌다.

그나저나, 조의금으로 예상치 못한 지출이 생겨서 아껴 써야겠다는 생각이 들었다. 골치가 아팠다. 이래저래 씁쓸한 마음을 안고 집으로 돌아왔다. 2층으로 올라가 방에 들어와 시계를 보니, 벌써 다섯 시가 넘었다.

혹시, 정말 황현이 할아버지의 아들은 아닐까? 추측은 머릿속에서 떠나지 않아, 이미 둘의 사소한 것 까지 공통점으로 매칭

시켜 보고고 있었다. 할아버지는 서로 반대되는 의견 때문에 둘이 갈라섰다고 했다. 정말 둘이 부자 관계라고 치면, 확실히 황현과 할아버지의 생각은 다르다. 그 둘은 똑똑하고, 그래서 한 치도 물러서지 않았을 것이다. 황현의 말 중에 '모든 결과에는 원인이 있어요' 라는 말이 떠올랐다. 할아버지는 나와의 만남을 '운명'이라고 장난 식으로 말하긴 했지만, 할아버지는 어떤 말을 할 때, 명확한 원인은 말하지 않았다. 그냥 그대로 받아들이라고 했지. 황현이 차갑고 명석하고 합리적이라면, 할아버지는 감각적이고 자연스럽고 직감적이다. 할아버지 스스로 자신이 어떤 '감'을 가지고 있다고 말했었지. 할아버지는 아마 그 '감'으로 나에게 들려주는 이야기를 품게 되었을 것이다. 민들레 홀씨가 떠다니다가 우연히 땅에 떨어지듯이, 할아버지에게도 그 이야기가 우연히 떨어졌겠지. 우연히 떨어진 그 곳은, 정말 우연히도 할아버지라는 좋은 땅이었고, 거기에서 이야기는 잘 자랄 수 있었을 것이다. 황현은 이에 대해 이렇게 말하지 않았을까.

'이야기가 우연히 생겼다고요? 우연은 없어요. 그 사람의 머릿속을 정확히 파악할 수 있다면 왜 이런 이야기가 생성된 것인지 알 수 있겠죠. 분명 본인이 이야기에 투영되어있을 거예요.'

정말 황현이 저렇게 말한다면, 그게 맞는 논리일까? 하긴, 꿈을 해석하려 했던 프로이트도 있다. 하지만 난 그 이론에 거부감이 든다. 아무리 논리적으로 해석해도 반박할 수 없는 논리는 어딘가에서 나올 것이다. 만약 그 둘이 정말 부자관계라면, 어떤 주제에 대해 둘의 의견충돌에 있었는지 잘 모르겠지만 나는 할아버지의 의견에 더 끌렸을 것 같다.

출출해진 나는 1층으로 내려왔고, 정원을 손질하고 이제 막 들어오는 어머니와 마주쳤다.

"잘 갔다 왔니?"

"네."

어머니는 방에 들어갔다가 다시 나와서는 식탁에 저녁상을 차렸다. 나는 음식이 담긴 그릇을 식탁으로 옮기는 것을 도왔다. 된장국과 반찬은 콩나물무침. 두 개가 다 였다. 된장국에도 평소와 다르게 두부밖에 없었다. 뭔가 이상했다. 이런 어머니의 상차림은 생전 본 적이 없다. 항상 고기는 기본이고, 반찬은 아무리 적어도 세 개 이상은 올라왔었다.

"어머니, 무슨 일 있으세요?"

나는 어떤 낌새를 느껴 물어보았지만, 어머니는 아무 말 없이 의자에 앉아 넋이 나간 사람처럼 밥알 하나하나씩만 입 안에 넣을 뿐이었다. 나도 배고파서 밥을 와구와구 먹었다. 우리 둘은 묵묵히 밥만 먹었다. 나는 전복을 먹고 싶어 조심스레 입을 열었다.

"저기, 어머니, 냉장고에 전복 있지 않아요?"

어머니는 대꾸가 없었다.

"어머니?"

아무 말 없이 기계처럼 젓가락만 왔다갔다하는 어머니. 나는 전복은 포기하고 된장국과 콩나물무침만 먹어야 했다. 콩나물무침의 간은 맞지 않았고 밥도 설익었다. 된장국도 된장이 덜 풀어져 엉망이었다.

"건희야."

어머니는 갑자기 놋수저를 쾅 내려놓고 나를 불렀다. 대리석 식탁과 수저가 부딪혀 차가운 소리를 냈다. 나는 그 소리에 어머니를 바라보았다. 어머니의 눈은 퀭 했고 아주 중대한 말이라도 하려는 듯 비장한 표정이었다. 나는 침을 꿀꺽 삼키며 어머니의 말을 조마조마 기다려야 했다. 뭔가 엄청난 말이 나올 것만 같다.

"아버지랑 이혼하게 됐다."

나는 너무 놀라 손에 들고 있던 수저를 땅에 떨어뜨렸다.

"그렇게 됐다. 결국엔, 그렇게 됐어."

나도 아버지와 어머니가 사이가 안 좋다는 것을 어느 정도 알고 있었지만, 이혼까지 하게 될 줄은 몰랐다. 혹시 아버지에게 여자가 생긴 걸까? 그래서 이혼을 하는 걸까? 나는 무척 궁금했지만 지금 당장은 물어볼 수가 없었다. 어머니의 표정이 너무 좋지 않았기 때문이다.

"괜찮으세요?"

어머니는 아무 표정도, 말도 없었다. 한참을 그러다가 어머니는 입을 열었다.

"건희야. 너는 소중한 걸 꼭 놓지 말아라. 그러려면 소중한 것이 뭔지 알아야 돼."

어머니는 조용히 눈물을 흘렸다. 눈물은 볼을 타고 어머니의 주름치마로 똑 떨어졌다.

"나는 소중한 게 뭔지 알았고 놓지 않으려 했지만, 지키지는 못했구나. 내 식물들도 지키지 못했지. 다 얼마 안 가서 죽고.

어떻게 이십 년 동안 그랬는지 모르겠어. 발버둥 쳐도 안 돼. 완전히 무능한가봐. 구제불능."

어머니는 어깨를 떨면서 격렬하게 울기 시작했다.

"두 분이 안 맞으셨던 것뿐이에요. 자책하실 필요 없어요."

나는 어머니의 옆으로 가서 두 팔로 어깨를 감쌌다.

"어머니를 이렇게 아프게 했으니 이미 그것들은 소중한 게 아니에요."

나도 당황스러웠지만 일단 어머니를 진정시키는 것이 우선이었다. 어머니는 소리를 지르며 울다가 지쳐 침대에 눕혀드렸다. 이불을 덮어주고 가만히 문을 닫고 나왔다. 2층으로 올라와 나도 침대에 털썩 누웠다. 어머니의 짐승같이 우는 소리가 아직 귓가에 윙윙 울렸다.

예전에, 아버지가 술에 취해 밤늦게 들어온 장면과 냉랭한 어머니의 표정이 떠올랐다. 내가 아버지는 어디에 있냐고 물으면 항상 표정이 굳은 채 대답해주던 어머니였다. 내가 어렸을 때는, 생일날 내가 내키지 않은 선물을 보여주면, 아버지와 어머니는 그걸 보고 서로 마주 보면서 즐거워했었는데, 같이 정원에서 바비큐 파티도 하면서 즐거운 시간을 보냈었는데… 그건 이제 너무 머나먼 이야기가 되어버렸다. 돌이킬 수 없는 과거의 행복한 시간들이다.

이게 도대체 어떻게 된 일일까. 왜 이혼까지 해야 하는 걸까.

할아버지와 아들, 아버지와 어머니, 회사동료와 아버지, 나와 내가 아는 사람들. 사람과 사람 사이의 관계는 왜 이렇게 정의하기 어렵고 애매모호한 걸까. 피를 나눠도 헤어지고, 평생 사랑하겠다는 약속을 하고선 헤어지고, 겉으로 웃으면서 다가오다가 이익이 되지 않으면 돌아서버린다. 어떻게 행동하느냐에 따라 관계는 다르게 조율된다. 말 한마디, 한마디에도 미세한 영향을 받고 돌연변이 같은 상황이 연출되기도 한다. 아니, 솔직히 행동이든 말이든 무엇으로 관계가 좌지우지되는지 모르겠다.

우리 가족은 앞으로 어떻게 되는 걸까. 다 뿔뿔이 흩어지는 걸까? 당황스럽지만 슬프지는 않았다. 내가 슬프지 않다는 사실이 더 당혹스러웠다. 오히려 이 상황이 짜증이 날 뿐이었다. 나한테 가족은 그만큼 소중한 게 아니었던 걸까. 이렇게 담담할지는 예상하지 못했다. 회사동료도 아버지가 죽고 나서 자기가 무덤덤할 것을 예상하지 못했겠지.

나는 이래저래 착잡한 마음으로 토요일을 보내야 했다.

13

일요일 아침. 잠에서 깨어났지만 눈을 뜨기 싫었다. 일어나기 싫었다. 복잡해져버린 지금의 상황이 싫었다.

한참을 침대에서 뒹굴 거리는데 초인종이 들렸다. 아버지였다. 오랜만에 보는 아버지의 얼굴은 까맣고 입술은 퍼렇고 이마와 팔자주름은 깊어져 있었다. 정말로 오랜만이었다. 아버지는 중절모와 트렌치코트를 벗어서 나한테 넘겼다.

"웬일로 아침에 오셨네요."

나는 나도 모르게 아버지에게 적대적으로 대했다.

"네 엄마는?"

"방에 계세요."

번개가 치기 직전의 상황이었다. 아버지는 굳은 얼굴로 방문을 열었다. 나는 아버지의 모자와 트렌치코트를 거실 소파 위에 올려놓았다. 곧이어 퉁퉁 부은 얼굴의 어머니와 아버지가 방에서 나와 거실 소파에 앉았다. 하루사이에 폭삭 늙어버린 어머니의 얼굴과, 주름이 어머니보다 더 깊지만 편안해 보이는 아버지의 얼굴은, 태풍에 맞아 떨어져 뭉그러진 과일의 모습과 차가운 바람을 맞으며 잘 말라가는 곶감의 모습만큼이나 비교되었다. 우리 가족은 좋지 않은 이유덕분에 이렇게 오랜만에 모일 수 있었다. 아버지는 점잖게 말을 꺼냈다.

"내가 어제 전화로도 말했지만, 이 집은 우리 대대로 살던 집이기 때문에 내 마음대로 당신을 여기서 살게 할 수가 없어. 당신이 늙어서도 걱정 없이 편하게 생활할 수 있도록 도와줄게."

어머니는 아무 말이 없었다. 아버지의 눈은 내게로 돌아갔다.

"건희는 이제 회사 생활한지 얼마나 됐지?"

"이제 2년 정도 됐어요."

"만나는 여자는 없고?"

"없어요."

"올해 나이가 몇이지?"

"28살이요."

"28살? 결혼할 나이네. 사내 녀석이 빨리 결혼을 해야지. 그래야 안정적으로 자리 잡아 승승장구할 수 있는 거야."

아버지가 나에게 하는 말은 이 상황과 왠지 어울리지 않는 것 같았다. 나는 분명히 아버지의 잘못으로 이혼을 하는 것이라고 생각했다. 어머니는 계속 아무 말도 없이 고개만 푹 숙이고 있었다. 아버지는 그런 어머니를 보고 혀를 찼다.

"저는 여기서 사는 건가요?"

"무슨 소리야. 너는 여기서 살아야지. 네 엄마만 나가는 거야."

어머니는 그 소리를 듣고 울음이 터졌다. 그 울음에 자극받은 나는 슬슬 속에 담아둔 말을 꺼내기 시작했다.

"어머니가 왜 나가야 하죠? 아버지가 잘못하신 거잖아요."

"내가?"

"아버지가 매일 늦게 들어오고, 출장도 많이 가고 가정에 소홀하셨잖아요. 이제라도 두 분, 잘 지내보시면 안 돼요? 아버지는 왜 그렇게 바빠요?"

"이 자리에 있으면 바쁜 거야."

"어머니는 매일 혼자였어요. 저도 오늘 오랜만에 아버지 얼굴 보고요. 두 분이 이혼하시는 덕분에 이렇게 모여서 얼굴도 볼 수 있네요."

나는 점점 언성이 높아졌다.

"건희야. 마음 가라앉혀라. 다 어쩔 수 없는 사정이 있어."

아버지는 평온함을 유지했다. 하지만 나는 그럴 수 없었다. 거울을 보지 않아 잘 모르겠지만, 아마도 나는 이때 얼굴이 아주 붉었을 것이다.

"평소에도 사이가 아주 좋진 않았지만, 계속 이렇게라도 잘 지냈잖아요. 갑자기 왜 이혼하신다는 거예요? 솔직히 말씀해보세요. 아버지가 바람나신 거 맞죠? 매일 출장 가는 것도 다 핑계죠?"

"나는 아직 네 엄마 사랑해."

어머니는 아버지의 말을 듣고 오열하기 시작했다.

"그럼 뭐에요? 왜 이혼하는 거예요?"

"다 그럴 만한 사정이 있다 했지."

"사정? 저도 28살이에요. 알 거 다 안다고요. 언제까지 어린 애취급하실 거예요. 왜 두 분 다 말이 없으세요. 어머니, 아버지가 잘못해서 이혼하시는 거 맞죠?"

나는 아무 말 없이 눈물만 흘리는 어머니와 차분한 모습의 아버지를 보고 답답했다. 아버지는 어머니를 지그시 쳐다보고서 말했다.

"서류는 내가 준비할게. 당신은 도장만 찍어. 이사는 다음 달까지 집을 알아봐줄게."

어머니는 고개만 끄덕였다. 아버지는 어머니의 반응을 보고 소파에 올려놓은 중절모와 트렌치코트를 들고서 나가려고 했다. 나는 아버지를 붙잡았다.

"이유 말씀해주고 가세요."

아버지는 나를 뚫어져라 쳐다보더니 잘 지내라고 하고서는 나를 밀고 나가버렸다. 나는 울고 있는 어머니에게로 가서 말했다.

"어머니, 이유 좀 말씀해주세요. 저 너무 답답해요. 당황스럽기도 하고. 이게 다 뭔가 싶네요."

어머니는 추레해진 얼굴을 숙이고 방으로 들어가 버렸다. 나는 화가 났다. 왜 다들 내게 말을 안 해주는 거지? 나도 자식이고 알아야 할 권리가 있다고. 어머니도 아버지도 왜 다 쉬쉬하는 거지?

나는 문을 열고 뛰어가서 차를 타려는 아버지를 붙잡았다.

"아버지. 이대로 가지 마시고 말씀 좀 해주시고 가세요."

아버지는 아무런 표정이 없었다.

"네 엄마한테 가서 물어봐라."

"어머니는 계속 울기만 하세요. 뭐라도 좀 말씀해주세요."

아버지는 차 손잡이를 잡고 한 손으로는 중절모의 끝을 매만졌다.

"내 잘못도 있고, 네 엄마의 잘못도 있다. 우리 관계는 산산조각 나서 더 이상 붙을 수가 없어. 그게 다야. 내 잘못은 너도 잘 알다시피 가정에 소홀했다는 거다. 하지만 그건 돈을 벌기 위해서 어쩔 수 없었어. 네 엄마의 잘못은 내 입으로 말해줄 수가 없구나."

"돈을 벌기 위해 가정에 소홀했다는 건 핑계로 들리네요."

"핑계?"

아버지는 미간을 찡그렸다.

"말조심해라. 너와 내 처지는 같지 않아. 우리는 서로 다른 곳에서 시작했다. 모두 다 너같이 편하게 살 거라고 생각하지 마라. 넌 정말 아직도 어리구나. 빨리 결혼이나 해라. 엉뚱한 사람이랑은 하지 말고."

아버지는 그 말만 남기고 차에 올라타 가버렸다.

아버지와 나의 거리는 너무 멀었다. 나는 분명 아버지의 아들인데도 한참 멀었다. 아버지의 생각에 대해 아무 것도 알지 못했다. 아버지도 나의 처지를 모르잖아요. 한 번이라도 내게 제대로 관심 가져 준 적 있나요……

집으로 돌아가니, 어머니는 캐리어에 옷을 담고 있었다. 나는 황급히 어머니를 말렸다.

"어머니! 아직 갈 곳도 없잖아요!"

어머니는 내 손을 완강히 뿌리치고 옷을 담았다.

"어머니라도 말씀해주세요. 도대체 이유가 뭐에요. 어머니도 잘못이 있는 거예요?"

어머니는 계속 아무 말이 없었다. 나는 답답해서 미쳐버릴 것만 같았다.

"제발! 말 좀 해보세요! 저도 충분히 고통스럽다고요!"

"미안하구나. 내가 다 지키지 못한 거야."

"자책하지 마시고, 차분하게 상황을 좀 말해주세요."

어머니는 눈물이 그렁거리는 눈으로 나를 쳐다봤다. 잠시 후 결심을 했는지 입을 열었다.

"나는 식물을 사랑했어."

어머니는 고개를 돌리고 말했다. 어머니의 옆모습은 처량해 보였다.

"그리고 정원관리사도 사랑했어."

나는 어머니의 뒷말에 소스라치게 놀랐다. 전혀 예상치 못한 말이었다. 뒤통수를 세게 맞은 것 같이 얼이 빠졌다. 나는 불과 몇 달 전에 한두 번 마주쳤던 정원관리사의 얼굴을 떠올리려고 했다. 새로 왔다고 했었는데. 하지만 보통 키의 다부진 모습 말곤 기억에 없었다.

"그 사람만이 내 본모습을 사랑해줬어. 네 애비랑은 다르게. 이제 속 시원하니?"

어머니는 캐리어를 끌고 집을 나갔다. 나는 어머니를 잡을 수 없었다. 그리곤 이 큰 집에 나 혼자 남게 되었다. 하루 사이에 이게 도대체 무슨 일인지 모르겠다. 이제부터 뭘 해야 될지, 무슨 생각을 해야 될지도 모르겠다. 배고프지도 않았다. 급격하게 피곤해진 나는 방으로 올라가 하루 종일 잠만 잤다. 빨리 월요일이 돼서 출근하여 일을 하고 싶었다. 일에 파묻혀서 이 상황을, 아버지도 어머니도, 내 자신과 고통도 다 잊어버리고 도망가고 싶었다. 아버지 말대로 난 정말 아직도 어릴지 모른다.

14

벌써 토요일이다. 일주일이 어떻게 흘렀는지 모르겠다. 지난 주까지만 해도 한 달에 백만 원만 쓰자고 신나게 계획했는데, 그것도 흐지부지 돼버렸다. 현재 상황에서는 그 계획은 내게 아무런 의미가 없고 즐거움도 주지 못했다. 반 쯤 넋이 나간채로 일을 하고 아무도 없는 집에 오면 바로 잠을 자고 다시 일어나 회사를 갔다. 그래도 오늘은 할아버지를 만나는 날이라 기분이 좀 나아졌다.

아침 8시 45분, 평소보다 일찍 할아버지 집에 도착했다. 어김없이 열려져있는 대문과 현관문을 지나자, 할아버지가 2층에서 내려왔다. 할아버지는 진한 갈색 니트에 검은색 면바지를 입고 있었다. 하얀 수염은 깎았는지 보이지 않았다. 인중이 휑한 모습을 처음 보는 거라 어색했지만 수염이 없으니 한층 더 젊어보였다. 할아버지는 활짝 웃으며 나를 반겨주었다.

"일찍 왔네?"

할아버지의 소리에 나는 괜히 울컥하여 눈물이 눈에서 쏟아져 나왔다. 그런 나를 보고 할아버지는 놀란 기색 없이 가만히 날 안아주었다. 내 팔을 잡고 2층으로 끌고 올라가 방문을 열었다. 오늘은 작은 접이식 의자가 아닌, 크고 편해 보이는 나무 의자가 할아버지의 체리목 의자 옆에 놓여 있었다. 할아버지는 나를 거기에 앉혔다. 의자에 깔린 푹신한 방석에 나는 왠지 더 눈물이 났다. 모든 눈물을 쏟아낼 때까지 할아버지는 아무런 말없이 기다려주었다. 내 어깨에 올린 할아버지의 손은 따뜻했다. 한참을 우니 이제 눈물이 나오지 않았다.

"괜찮냐? 커피 타 줄까? 오늘은 코코아 어때?"

나는 코코아든 커피든 상관없었다. 아무거나 좋다고 했다. 할아버지는 조용히 문을 닫고 나갔다. 나는 눈물로 절여진 얼굴로 창밖을 바라보았다. 따뜻한 가을 햇살이 방으로 들어왔다. 방이 밝다는 걸 이제야 눈치 채고 창피해져 옷과 손으로 눈물을 닦아댔다. 하지만 통통 부르튼 얼굴은 어찌할 수가 없었다.

할아버지가 들어와 반달책상에 머그잔을 놓았다. 커피가 아닌 달달한 코코아 냄새가 났다.

"오늘은 어린 애처럼 울었으니 코코아를 마셔라."

나는 어색하게 웃으며 잔을 들어 코코아를 마셨다. 냄새도 달고 맛도 달았다. 할아버지는 가만히 나를 쳐다보았다.

"오늘은 다른 의미로 권태가 사라졌구나."

"…그러네요."

"어떤 게 더 좋으냐? 권태로운 게 좋아, 아니면 지금처럼 슬픈 게 좋아?"

나는 묵묵히 코코아를 마신 후 말했다.

"두 개 중에 덜 고통스러운 걸 택할래요."

"어느 것이 덜 고통스러운지 어떻게 알아?"

"그러게요. 뭐가 덜 고통스러울까요? 고통을 측정해주는 기계가 있으면 좋겠네요. 그러면 내 기분을 객관적으로 파악할 수 있고, 남한테 내가 이렇게나 고통스럽다고 말하며 위로를 받을 수도 있을 텐데. 또, 스스로도 지금보다 더한 고통보다는 덜 고통스럽다며 위안이 될 수 있을 거예요."

"먼 미래에 진짜 그런 기계가 나올지도 모르지. 요즘은 별걸 다 만들어내니깐."

코코아는 아주 진하고 달았다. 단 걸 싫어하지만 오늘은 달짝지근한 코코아가 너무나도 맛있었다.

"그럼 할아버지는 둘 중에 뭐가 더 고통스러워요?"

"음, 나도 고를 수가 없는데… 고통스럽긴 하지만, 둘 다 소중한 감정들이지. 권태든 슬픔이든."

"할아버지도 권태를 느껴본 적이 있어요?"

할아버지는 내 물음에 어이없는 웃음을 지었다.

"내 나이가 몇 살인데. 너 혼자 세상 사냐? 나도 당연히 권태를 겪었지. 아직도 마음속에 지니고 있고."

"왜 마음속에 지니고 있어요? 괴롭지 않으세요? 저는 방법만 알고 있다면 훌훌 털어내고 싶어요."

"털어내고 싶어? 너는 권태를 너무 부정적으로 생각하나 본

데, 권태는 누구한테나 있고 죽을 때까지 떨어지지 않는단다. 민감한 사람일수록 권태를 더 잘 느끼지. 하지만 그건 우리 몸에 꼭 필요한 균과도 같아. 권태는 마음을 좀먹지만, 잘 이용한다면 권태로 마음을 비우고 진정한 욕망을 채울 수 있어. 이겨내지 못해서 자극적인 것을 쫓고, 불확실하여 남들이 하는 대로 다 따라하고, 분명 먹고 살만큼의 돈이 있지만 걱정과 욕심을 버리지 못해 돈을 위한 일을 한다면 진정한 욕망은 영원히 보지 못한 채 어둠 속에서 살게 되지. 마치 가벼운 감기일 뿐인데 자연적으로 치유하지 않고, 끊임없이 여러 약을 먹어서 부작용으로 또 다른 병을 불러와 약을 또 먹는 악순환과도 같아."

할아버지는 잠시 숨을 고르더니 다시 말했다.

"그에 비해 너는 운이 좋은 거야. 생활에 대한 걱정 없이 풍족하고, 너 자신과 사람을 관찰할 수 있는 객관적인 머리도 가지고 있으니 말이야. 권태는 진정한 목적지로 가는 바로미터야. 사람한테 권태가 없었다면 이 세상은 정말 재미없었을 거야."

할아버지의 말은 머리가 아니라 마음 깊숙한 곳으로 가서 바로 꽂혔다. 할아버지의 말은 항상 그렇다. 할아버지는 말을 말로 사용할 줄 알았다. 어느새 나는, 방금 전까지 울었다는 사실을 까먹어버렸다.

"네. 할아버지 말대로라면 정말 저는 운이 좋은 거네요. 게다가 이렇게 좋은 할아버지도 만나고. 그 캄캄한 동굴 속을 가지 않았다면 여전히 방탕한 생활을 계속 하고 있었을 거예요. 그러면서 지겹다며 또 자극적인 걸 추구하면서 몸을 불사르고 있었겠죠. 하지만 있잖아요. 풍족하게 태어난 건 결코 운이 좋다고 해야 할지 모르겠어요. 모든 게 다 거기서 시작된 것 같아요. 지금 이 상황들이. 권태도 그렇고. 내가 조그마한 재산을 가진 부모님과 살았으면 오순도순 잘 살았을 것 같아요."

할아버지는 호탕하게 웃으며 내 머리를 쓰다듬었다. 그 손길에 나는 아이처럼 가슴이 두근거렸다. 내가 아주 어린 꼬마가 된 것만 같았다. 말로는 꺼내지 않았지만, 내가 할아버지의 손자거나, 자식이었다면 얼마나 좋았을까.

"어쨌든 나도 운이 좋았지. 이야기를 잘 들어줄 사람이 생겼으니깐. 운이란 건 자기 관점마다 달라지는 거야."

할아버지는 이제 손에 머그잔을 놓고 남은 이야기를 마저 하려고 했다. 그 전에 나는 할아버지에게 말했다.

"할아버지. 고마워요. 덕분에 기분이 많이 나아졌어요. 그리고 할아버지의 이야기는 아주 특별해요."

할아버지는 빙긋 웃었다. 내가 왜 울었는지 궁금할 법도 한데 할아버지는 그것에 대해선 입도 뻥긋하지 않았다.

*

네 번째 점은 첫 번째 점의 아름다운 기운에 닿아 황홀해하며 산산조각으로 갈라졌고, 갈라진 조각의 일부분은 첫 번째 점의 뜯겨진 곳을 채워주었어. 나머지 조각들은 첫 번째 점의 아름다운 기운과 몽땅 섞여서 커다란 빛으로 변했어. 섞이는 과정에서, 나머지 조각들이 첫 번째 점을 마구 찔러댔고, 너무 아팠던 첫 번째 점은 검은 방울들을 뱉어냈어.

'너무 눈부셔서 이 이상한 빛 말고는 아무 것도 보이지 않아. 그리고 너무 아파.'

첫 번째 점은 정신이 하나도 없었어. 그 와중에도 네 번째 점이 걱정되어 네 번째 점을 찾아보려 했지만 눈부셔서 빛 말고는 아무 것도 볼 수 없었어. 누군가가 그 광경을 멀리서 본다면, 중심에 있는 검은 점은 보이지 않고, 사방으로 뻗어나가는 빛 밖에 보이지 않았을 거야. 그 정도로 빛은 강렬했어.

"어디 있어? 괜찮은 거야?"

첫 번째 점은 네 번째 점을 불렀어. 하지만 아무 대답이 없었지.

"내가 또 가까이 가서 사고가 터졌나봐. 내가 또 누군가를 사라지게 했어."

첫 번째 점은 아프고 슬퍼서 많은 양의 검은 방울을 계속 떨어뜨렸어. 너무 떨어뜨린 나머지 첫 번째 점은 사라지기 일보 직전으로 작아져버렸어. 첫 번째 점이 뿜어낸 검은 방울은 빛과 섞여서 빛을 더 커지게 했어. 첫 번째 점이 마지막 한 방울만 남기고 모두 뱉어냈을 때, 검은 방울과 섞인 빛은 무한하게 뻗어나가 지금 이곳, 아무 것도 없는 공간을 모두 덮어버릴 정도였어.

첫 번째 점은 아주 조그맣고 마지막 한 방울밖에 남지 않았지만, 사라지지는 않았어. 그것이 첫 번째 점의 중심, 즉, **핵**이었기 때문이야. 첫 번째 점은 사방을 가득 채운 빛 때문에 공간을 볼 수가 없었어. 그래서 주위에 어떤 일이 일어나는지 보지 못했어. 우리 사람이 눈을 감으면 온통 검게 보이듯이, 첫 번째 점도 자신 속에 있는 검은 색만이 사방에서 보였어.

첫 번째 점은 포기하지 않고 네 번째 점을 계속 불렀지만 아무런 대답이 없었지. 그런데 시간이 지날수록 첫 번째 점은 따뜻함이 느껴졌어. 빛이 뜨거웠기 때문이야. 첫 번째 점은 네 번째 점이 자신을 따뜻하게 감싸주고 있다고 생각했어.

"따뜻해. 따뜻한 것은 아주 좋은 느낌이구나. 너는 혹시 사라진 게 아니라 나한테 흡수된 거야? 그래서 말을 못 하는 거야? 아니면 나를 가만히 안아주고 있는 걸까? 나 지금 기분이 너무 좋아. 몸도 이상하게 홀가분하고, 따뜻하고 노곤해."

첫 번째 점은 그대로 잠에 들었어. 아주 길게, 오래오래 잠에 들었어. 그리고 기나긴 꿈의 영상을 보았지. 수십억 개도 넘는 영상을… 내가 처음에 말했었지? 여기서는 시간이 상상할 수 없을 정도로 길게 지나간다고. 상상초월이야.

첫 번째 점은 이번에 잠에서 깨면, 네 번째 점에게 자신이 보았던 아름다운 영상들을 제대로 말해주기 위해 또렷이 기억하려고 노력했어. 그 마음이 너무 강력했던지, 핵만 남은 첫 번째 점은 풍선 같이 부풀어 오르기 시작했어. 수많은 영상들이 생생히 살아있는 채로 점 속에 담겨지게 된 거야.

시간이 흐르면서 점은 끊임없이 부풀어 올랐고 그 안에 영상들도 가득 채워졌어. 영상으로 부풀어진 점은 빛으로 가득한 무한한 공간을 거대하게 차지했어.

마침내 첫 번째 점은 잠에서 깨어났어. 너무 뜨거워서 저절로 깨어났던 거야. 잠들기 직전에는 기분 좋게 따뜻했는데, 이제는 너무 뜨거워서 견딜 수가 없었어. 몸이 늘어날수록 빛에 닿는 면적이 더 넓어지고, 빛의 양도 많아졌기 때문이야. 뜨거운 빛은 검은 점 이곳저곳에 상처를 내기까지 했어.

"너무 뜨거워!"

첫 번째 점은 너무 비대해져서 움직일 수도 없고 어찌할 바를 몰랐어. 자신의 몸이 녹아내리는 고통이 느껴졌어. 하지만 그 와중에도 혹여 네 번째 점에게 말해줄 영상들도 녹아 없어져버리지는 않을까 걱정이 들었던 첫 번째 점은 마음을 단단히 먹고 고통을 버텨내려 했어. 동그랗고 통통한 점의 모양은 빛 때문에 조금씩 일그러져 울퉁불퉁 해졌어.

그렇게 악착같이 버티고, 한참 시간이 지났어. 이젠 뜨거워도 뜨거운 지도 모를 정도가 되어 버렸어. 아무렇지도 않게 되었지. 감각이 무뎌져서 아무렇지 않아도, 빛은 검은 점의 속으로 투과하여 계속 상처를 냈고, 상처는 흉터로 남았어. 흉터는 빛이 상처를 냈기 때문인지, 별처럼 반짝반짝 빛이 났어.

첫 번째 점은 이제 뜨거움이 아무렇지 않았기에, 다시 잠에 들었고 영상들을 보았어. 본 영상들은 몸 속 어딘가에 저장시키고, 빛의 흉터와 같이 어우러져 아름답고 놀라운 세상이 만들어졌지. 믿을 수 없이 다채롭고 상상 이상의 영상으로 가득한 세상이 점의 안에서 생성된 거야. 점은 그 과정을 계속 반복했어. 잠에 들고, 영상을 보고, 영상을 저장하고, 빛에 의해 상처가 나고 흉터가 남고. 점점 커지다가도 겉에 있는 빛 때문에 모양이 일그러지기도 했어.

그래도 첫 번째 점은 조그마한 소리라도 들리지 않을까, 포기하지 않고 네 번째 점을 계속 불렀어. 하지만 아무런 대답이 없었지. 나중에 첫 번째 점은, 속 안에 영상과 흉터들이 너무 많아져서 말도 하지 못하게 되었어. 첫 번째 점은 자신이 말을 하지 않는다면, 혹시나 네 번째 점이 자신이 죽었다고 생각하고 슬퍼할까봐 걱정했어. 어떻게 하면 자신이 살아있다는 것을 알릴 수 있을까, 첫 번째 점은 고민해봤어. 그러다, 네 번째 점이 자신 안에 있는 영상들을 보고 있을지도 모른다는 생각을 했어. 첫 번째 점은 네 번째 점이 빛으로 변했던지, 자신한테 흡수됐던지, 어떤 형태로든 아직 살아있다고 믿었기 때문이야. 첫 번째 점은 자신이 살아 있다는 것을 알리고, 네 번째 점과 그와 함께했던 시간이 그리워 자신의 영상 속에 여러 표식을 남기기로 했어. 그래서 네 번째 점을 닮은 검고 동그란 점은 영상 곳곳에 남겨지게 됐고 지금 시간에도 어김없이 남겨지고 있지……

*

"끝이야."

할아버지는 막중한 임무라도 마친 듯, 크게 숨을 내뱉었다.

"오늘 다 끝이 났구나. 듣느라 수고했다. 듣기 힘든 부분이 있었을 텐데."

할아버지는 내게 이야기를 하고 끝마치면 항상 지쳐있는 표정을 하곤 했는데, 오늘은 그와는 다르게 슬픔에 절여진 얼굴이었다. 하지만 나는 이야기의 결말을 들어 흥분한 나머지 그 감상에 젖은 얼굴을 놓치곤, 혼자 들뜬 채 말을 쏟아내기 시작했다.

"이거 우주가 만들어진 이야기죠? 첫 번째 점의 영상들이 우리가 살고 있는 우주였네요, 제 추측이 맞죠? 첫 번째 점은 표식으로 우리 살과 눈에 검은 점을 남긴 거죠? 동물들의 검은 무늬도, 태양의 흑점도 다 표식인 거네요?"

나는 상상과 영감으로 머릿속이 가득 차 여러 해석들이 마구잡이로 떠올랐다. 직관, 상상, 꿈, 감정, 지식이 이 이야기를 통해 모조리 하나로 통합되는 느낌이었다. 그것은 심하게 엉킨 실타래를 초인적인 힘으로 순식간에 풀고 가지런하게 만들어 어떤 모양을 새로 창조해내는 것처럼 아주 복잡하고 정신이 없었지만 나는 신명이 났다.

"그럴 수도 있고 아닐 수도 있고. 각자 상상하기 나름이지. 꼭 우주로 보지 않아도 무언가 시작하고 이뤄내려고 할 때 저런 과정을 거치지. 우리 마음 속 일어나는 과정과도 비슷하고. 사랑도… 마찬가지야."

"이 이야기 속에 시간은 우리가 상상하는 것 이상으로 흘러가잖아요. 혹시 그 점은 시간이 오래 지나고 심심해진 나머지, 자신의 영상으로 가득 찬 세상에서 실험을 해보지는 않았을까요? 마치 지구에서 인간이 갑자기 출현한 것처럼 실험을 한 거죠. 그래서 그 속에 들어가 마음껏 상상하지 않았을까요? 우리도 원하는 것이 있으면 자신의 상상 속에서 만들어보기도 하잖아요. 일어나지도 않은 장면을 상상하고, 만들 수 없는 것을 상상으로 만들어보잖아요? 이 점도 상상을 하면, 그 상상이 자신의 세상 속에서 만들어지는 거예요. 그렇게 따지면 이 우주는 허상인건가? 진짜가 아닐 수도 있겠네요?"

나는 내 복잡한 생각들을 혼잣말하듯이 뱉어냈다. 도저히 말을 하지 않고서는 못 배겼다. 머릿속은 불꽃놀이를 하는 것처럼 추측과 상상이 팡팡 터지고 있었기 때문이다.

"재미있는 의견이구나."

"어쨌든 우주이든 시작이든 뭐든지 간에, 그 자체로 아름다운 이야기에요. 이런 이야기를 저한테 쓰라고 했다니… 불가능이에요. 제가 쓰면 정말로 망칠 거예요. 망칠 수 없어요. 할아버지가 왜 못 쓴다고 하는지 알겠어요. 할아버지도 이렇게 말로 하기도 벅찬데 제가 이걸 어떻게 감당하겠어요."

"쓰든 안 쓰든 너의 자유라고 말했다. 난 할 일 다 끝냈다. 이야기가 끝났으니 네가 보고 싶다던 책을 빌려 줄게."

할아버지는 오른쪽 책장으로 가서 조그마한 사다리를 끌고 올라타 책 하나를 꺼냈다. 꺼낸 책을 내 손에 쥐어줬다.「우주 속의 원과 운동」이었다. 다시 보게 된 그 책은 그 때보다 더 낡고 헤진 것처럼 느껴졌다.

"근데 왜 하필 이 책이야?"

할아버지는 책을 건네주면서 내게 물었다.

"제가 처음 이 방에 와서 손에 잡은 책이 이 책이었어요."

"음… 그래? 그 책은 내게 아주 소중한 책이야. 잘 보관해라."

할아버지는 주머니에 손을 넣더니 열쇠 하나를 빼서 내게 주었다.

"가져라. 이 방의 열쇠야. 여기 있는 책들 보고 싶을 때 와서 마음껏 봐."

나는 손에 올려진 열쇠를 보고, 방을 둘러보고, 할아버지의 얼굴을 보았다.

"정말요? 아무 대가도 없이요?"

"응. 마음껏 봐."

"할아버지. 왜 이렇게 저한테 잘해주시는 거예요?"

"그냥. 나도 몰라. 네가 마음에 드니까 그런 것 같아. 그걸 어떻게 말로 설명하겠어."

나는 할아버지한테 고맙다고 했다. 할아버지는 시계를 보더니 이제 그만 갈 시간이라며 의자에서 나를 잡아끌었다. 오늘은 의자가 편했기 때문에 일어날 때 고통스럽지 않았다. 전에 조그마한 접이식 의자에 앉았다가 일어났을 때 고통스러웠던 걸 생각하면 이 의자에게 고마운 마음까지 들었다. 나는 다음 주에 또 온다고 하고 집을 나왔다. 집을 나오기 전, 할아버지는 내게 꼭 말해주고 싶은 것이 있다면서 나를 붙잡았다. 할아버지는 조금 굳은 표정으로 내게 말했다.

"확신하며 말하는 사람을 너무 믿지 않는 게 좋아. 확신은 그 사람의 관점에서 본 의견에 불과해. 강한 의견은 편견이 될 수 있어. 언어는 살아있기 때문에 불완전하고 의미가 항상 변화해. 이 세상에 확실한 것은 아무 것도 없단다."

내가 알겠다며 고개를 두어 번 끄덕이자(사실 의미는 제대로 알 수 없었지만), 할아버지는 편안한 표정으로 내게 손 인사를 했다. 다른 손으로는 두 개의 빈 잔을 들고 있었다. 할아버지가 나의 아버지보다 더 젊게 느껴졌다.

나는 차의 운전석에 앉아서 다시 할아버지의 낡은 집을 보았다. 그나저나 왜 저렇게 낡은 집에서 사는 걸까? 차라리 새로운 집에서 방을 꾸몄으면 더 좋았을지도 모를 텐데. 다음에 만났을 때 물어봐야지, 라고 생각했다.

책을 조수석에 놔두고 시동을 켜서 그 동네를 떠났다. 할아버지 집을 떠나니, 갑자기 현실로 돌아온 느낌이 들었다. 오늘로 이야기가 끝이 났다. 잠시 잊고 있던 생각들이 다시 떠올라 한숨이 나왔다. 아무도 없는 집에 들어가기 싫었던 나는 집 근처인 압구정 쪽에 아무데나 차를 세우고, 할아버지가 빌려준 책을 손에 들고 도산공원으로 향했다. 슬슬 은행잎들은 노랗게 다시 바래지고 있었다. 의자에 벌러덩 누워서, 하늘과 무성한 나뭇잎들을 보고 크게 공기를 들이마셨다. 배에 올려놓은 책은 내 숨에 맞춰서 위로 올라갔다가 내려갔다. 오늘 할아버지가 말해준 이야기의 마지막 부분을 다시 떠올리며 음미하다가, 배에 올려놓은 책을 펼쳐 첫 부분을 보았다.

'살아있는 것은 모두 움직인다. 움직이고 싶어 하는 욕구가 있다. 우주 역시 움직인다. 그러므로 살아있다. 우리는 너무 작기 때문에 우주의 움직임, 즉 살아있음을 느낄 수가 없다.

살아있는 것은 대부분 원형이다. 원형은 생동감이 넘쳐 보인다. 원형은 조금만 자극을 주어도 계속 움직일 수 있기 때문이다. 끊임없이 굴러가고 있는 공을 멈추려면 저항을 줘야 한다. 하지만 끊임없이 굴러가는 지구와 태양과 우주를 멈추게 할 수 있는 저항은 무엇일까?

우리는 우주에서 살고 있고 거기에서 벗어날 수 없다. 위의 말한 두 가지. 우주 속에 있는 원과 움직임(운동), 원과 움직임(운동)에 끊을 수 없는 관계에 대한 이야기를 하려고 한다.'

중간에 하얀 배경에 검은 점이 가운데에 찍힌 삽화가 있다. 검은 점은, 물이 똑 떨어져 퍼져있는 것처럼 그려져 있었다.

'우주는 살아있다. 우주는 어떤 원인으로 인하여 살아서 움직이고 있는 걸까? 우리는 그 원인을 모른 채 단지 결과 속에서 살고 있다. 하지만 결과 속에는 분명히 원인이 있다. 언젠가 우리는 세대가 이어져 인간이 멸종되지 않는 한, 시간이 아주 오래 걸리더라도 결국에는 원인을 밝혀낼 것이다. 결과가 있으면 원인은 반드시 존재하기 때문이다.'

나는 여기까지 읽고, 갑자기 이 책을 지은 작가가 궁금해져 표지를 보았다. 작가의 이름은 황현이었다. 황현? 깜짝 놀란 나는 책을 덮었다. 왜 이제야 작가의 이름을 본 것일까! 할아버지가 이 책을 건네줬을 때 볼 수도 있었는데!

할아버지가 이 책을 갖고 있었던 건 우연일까, 아니면 황현이 정말로 할아버지의 아들인 것일까? 황현에게 이 책을 보여준다면 둘은 다시 화해할 수 있지 않을까? 나는 아들 생각으로 내게 비쳤던, 할아버지의 늙고 쓸쓸한 모습이 아른거렸다. 더는 지체할 수 없다.

나는 황급히 차로 뛰어왔다. 타자마자 바로 시동을 걸고 강원도로 향했다.

15

아침에 일어나서 한 끼도 먹지 않았는데도 배고프지 않았다. 나는 오직 한 가지만 생각했다.

'황현이 아들이라면, 둘을 화해시켜 할아버지를 기쁘게 할 수 있을지도 몰라.'

강원도를 오니 네 시가 넘었다. 그 때처럼 캠핑장 근처에 차를 세우고 책을 들고 나와서, 웃고 노는 사람들을 지나 동굴 쪽으로 향했다. 세 번 정도 오니 이젠 어디쯤인지 대충 감이 왔다. 오늘은 동굴로 가는 도중에 자전거 경적소리가 들리지 않았다. 내가 너무 빨리 왔나? 밖에서 바라본 동굴 입구는 불이 켜져 있지 않아 시커먼 덩어리처럼 보였다. 핸드폰의 배터리가 아직 충분했기에, 플래시를 켜서 동굴로 들어왔다. 여전히 가운데에는 얕은 물이 출렁였다. 동굴은 너무 조용하고 깜깜했다. 스산해진 나는 일단 동굴 밖으로 나왔다.

만나면 무슨 말을 해야 할까, 나는 생각했다. 손에 들고 있는 책을 바라보고 거기에 적힌 '지은이 황현'이라는 글자를 다시 보았다. 이 글자만 보고 충동적으로 튕겨지듯 여기까지 오긴 했는데 황현에게 어디서부터, 무엇을 말해야 할지 고민됐다.

황현은 분명히 맞은편 동굴에 자기 아버지가 있는 것을 안다. 둘은 어떤 의견충돌로 연을 끊은 상태다. 인연이 끊어진 자기 아버지가 맞은편에 있는 걸 알고도 황현은 여기서 연구를 하고 있다. 아버지는 결코 아들을 잊지 않았고, 아들이 쓴 책을 소중히 보관하고 있었다.

근데 지금 걸리는 것이 있다면, 정말 황현과 할아버지가 부자관계인지, 황현에게 할아버지가 현재 어떻게 살고 있는지 말해도 되는지 모르겠다는 것이다. 다 말해도 된다면, 할아버지가 이 책을 소중히 가지고 있는 것을 황현이 알게 된다면 둘은 조금이나마 화해를 할 수 있지 않을까. 할아버지가 나를 즐겁게 했듯이, 나도 할아버지를 기쁘게 해주고 싶었다. 하지만, 만약 부자관계가 아니라 우연으로 할아버지가 저 책을 가지고 있었다면 전부 소용없는 일이겠지만…

계속 생각하다가, 서서히 하늘이 주황빛으로 물들고, 가까이에서 자전거 경적소리가 들리기 시작했다. 띠링띠링. 경적소리는 끊임없이 주기적으로 울렸다. 띠링띠링. 5초 후에, 띠링띠링. 소리가 점점 가까워지자 동굴에 전등이 들어와 빛이 새어나왔다. 나는 동굴로 들어와 경적소리를 들으며 황현이 오기만을 기다렸다.

띠링띠링. 자전거가 동굴로 들어왔다. 동굴 가득히 경적소리가 울리더니 나를 보고 소리는 멈췄다. 오늘도 어김없이 황현은 20대의 명석한 청년으로 보였다. 황현은 자전거를 세우고 내린 다음 나를 보았다. 세 번을 봤지만, 황현이 나를 볼 때, 알 수 없는 중압감이 느껴졌다. 나는 딱딱하게 몸이 굳어 힘겹게 입을 열었다.

"안녕하세요. 또 보네요."

"음… 날 보러 온 건가요?"

"네."

나는 머리가 새하얘졌다. 방금 전 생각하던 것이 하나도 기억나지 않았다. 어떻게 말할지 나는 우물쭈물했고, 그런 나를 황현은 똑바로 응시하고 있었다. 황현은 바른 자세로 곧게 서있었다.

"저기, 있잖아요."

할 말은 많은데 제대로 말이 나오지 않아 답답했다.

"말을 하세요."

황현은 여유롭게 손가락으로 안경테를 잡았다가 놓았다.

'에라, 모르겠다. 뭐, 어떻게 되겠어?'

나는 다 말해버리자고 다짐했다.

"저 구멍 따라 가면 계시는 분이 황현 씨 아버지 맞죠?"

나는 첫 번째 구멍을 손가락으로 가리키며 말했다.

"네. 내 아버지에요. 어떻게 아셨죠? 추리력이 뛰어나시네요."

황현은 의외로 무덤덤하게 말했다. 그런 무덤덤한 모습에 나는 조금은 편하게 말을 꺼낼 수 있었다.

"제가 황현 씨 아버지랑 친해졌거든요. 집도 놀러가고 이야기도 듣고 그랬어요. 처음 이곳에 왔을 때, 저 구멍을 통과해서 만난 것이 인연이 됐어요. 좋은 분이시던데요. 재밌고 신비한 이야기를 제게 해주셨죠."

"그렇군요. 혹시 내 얘기를 그 분한테 하시진 않았겠죠? 그 분에게 이상한 이야기를 들으셨겠네요."

"이상한 이야기는 안 하셨어요. 신기하고 아름다운 이야기를 듣기는 했죠."

"그 분은 똑똑하시지만 가끔 말도 안 되는 이야기를 하시곤 하죠. 원인도 없는 터무니없는 이야기를요. 출처 없는 이야기를 듣고 있는 것은 시간낭비에요."

황현의 비아냥거리는 말투에, 할아버지와 황현의 의견충돌의 포인트가 어디였는지 짐작할 수 있었다. 할아버지에게 들어서 어느 정도 예상은 했었지만 둘의 생각은 정말 완전히 반대다. 나는 할아버지의 이야기를 터무니없는 이야기라고 하는 황현의 말에 기분이 상해, 그 포인트를 살짝 건드려 속을 긁어보고 싶었다. 더불어, 황현의 논리가 어디까지 가는 지도 듣고 싶었다.

"저기, 꼭 원인이 있어야 말이 되나요? 그냥 이야기 자체만 봐주면 되는 거 아니에요? 황현 씨 아버지는 아주 지혜로우신 분이에요. 그렇게 터무니없지 않아요. 아니, 오히려 누구도 말할 수 없는 이야기를 하시죠."

내 말에 황현은 한쪽 입꼬리를 올리며 비웃었다.

"난 그 **터무니없는** 것을 참을 수가 없어요. 분명히 원인이 있으니, 추론하고 분석하여 결론을 내리면 돼요. 아주 단순하죠. 왜 쓸데없이 말도 안 되는 상상을 받아줘야 하죠? 그런 성격 때문에 그 분은 어이없는 행동을 하기도 했어요. 아무런 이유도 없이 그냥 무책임하게 저질러 버렸다고요. 무의미한 행동을 할 시간에 현실적이고 쓸모 있는 연구를 하겠어요. 나는 그 분과는 다르게 분명한 목적과 이유가 있어요. 나는 모든 걸 알고 싶어서, 더 나아가기 위해서 연구를 시작한 거예요."

"모든 걸 알아서 뭐 하려고요? 그것도 쓸데없는 거 아니에요?"

"쓸데없지 않아요. 불분명한 것을 연구하여 얻어낸 것을 모두가 알 수 있는 언어로 정의하여 기록하면, 다음 세대까지 모두가 쉽게 알 수 있게 되죠. 그것 자체가 쓸모 있는 일이에요."

황현은 들뜬 기색 없이 차분하게 말했다. 나는 계속 반박하고 싶어서 다른 말을 찾으려고 머리를 조급하게 굴렸다. 내가 잠시 말이 없자 황현은 말을 이어갔다.

"더 쉽게 이야기해줄까요? 연구한 것을 언어로 정의해서 기록해놓으면, 다음 사람은 다시 처음부터 시작할 일 없이 쉽게 이어갈 수 있어요. 그걸 토대로 또 다른 걸 연구해서 결과를 내놓을 수 있죠. 세대를 넘어 '협력'하는 거예요. 당신이 산이 무너지지 않게 계산하여 깎은 도로에서 무사히 차를 타고, 몇 시인지 알고, 저녁과 아침이 오는 이유를 알고, 더운 여름에 냉장고에서 시원한 맥주를 마실 수 있는 것도 다 그 결과물이에요. 이래도 쓸데가 없나요?"

"쓸데가 있긴 하죠. 하지만 사람은 원래 차, 맥주, 시계 같은 현대의 발명품 없이도 최소한의 도구를 이용하며 끈질긴 생명력으로 살아왔어요. 사람들은 편리와 욕구를 충족하기 위해, 언제 터질지 모르는 위험을 최대한 줄이고 싶어서 끊임없이 무언가를 만들어내죠. 하지만 그건 또 다른 위험을 불러일으켜요. 그것들을 만들어서 지구가 점점 파괴되고 있는 거 아시죠?"

"알아요. 하지만 지구가 살아있다면 분명히 기뻐하고 있을 거예요. 자기가 파괴되는 건 고통스럽지만 사람은 지구의 모든 것을 알려고 하고, 지구의 모든 능력을 잘 이용하고 있으니까요. 지구에 대해서 지구 자신보다 인간이 더 많이 알고 있을 거예요. 누군가가 나를 많이 안다는 건 기쁜 일 아닌가요? 무슨 행동을 하게 되면 반드시 고통은 따르게 되어있어요. 애초에 지구는 인간을 태어나지 않게 했다면 아무 일도 없었을 거고 아무 고통도 없었겠죠. 하지만 당연히 기쁨도 없었을 겁니다. 인간이 현대 문명의 발명품 없이도 끈질긴 생명력으로 살아왔긴 했지만, 이제는 그것들 없이는 살지 못하는 세상을 인간 스스로가 만들어놨고 나는 그 세상에 태어났어요. 지금은 2016년이에요. 사람은 이제 후퇴할 수 없습니다. 지구든, 사람이든 자업자득이에요. 항상 원인과 결과가 있습니다."

"원인과 결과. 그런 식으로 아버지와 의견충돌을 했었나 보죠? 자신이 오류가 있을 수 있고, 옳지 않을 수도 있다는 걸 왜 인정하지 않으려 하죠? 인정하는 건 당신의 논리에 어긋나는 일인가 보죠? 그래서 아버지와 싸우고 연을 끊은 거죠? 옆에 있을수록 자신이 역부족이라는 것을 깨닫게 되니깐, 논리로 따질 수 없는 대단한 사람이니깐."

내가 비꼬아서 말해도 황현은 무덤덤하게 내 말을 받아쳤다.

"그 분이 어떤 면에서 대단하다고 하는 거죠? 당신은 그 분을 몇 번밖에 보지 않았잖아요. 나는 20년 이상을 같이 살아왔고, 당신보다 훨씬 더 잘 알고 있어요. 그 분은 쓸데없이 모든 걸 포용하려고 했어요. 허영으로 부푼 관대함을 견딜 수 없었던 것뿐이에요. 그리고 당신은 나와 그 분 사이에 무슨 일이 있었는지 정확히 몰라요. 정확히 모르는 건 제대로 판단할 수 없습니다. 그 분은 출처도 모르는 '느낌'만으로 고집을 부리며 주위사람을 힘들게 했어요."

"할아버지의 포용은 허영이 아니라 애정이에요. 당신은 정말 차갑고 이성적인 사람이네요."

"이성은 사람의 특권이고 보호막입니다."

나는 아직 하고 싶은 말이 남았지만 반박하고 싶지 않았다. 애초부터 이 완벽한 논리를 추구하는 사람한테 반박한 것이 잘못이었다. 나는 이 한도 끝도 없을 말싸움은 그만두고 화제를 돌려야겠다고 생각했다.

"아, 이제 그만하고, 이것 좀 보세요. 여기 이 책, 황현 씨가 쓴 거죠?"

나는 손에 있는 책을 제목이 보이게 똑바로 들어서 황현에게 보여주었다. 황현은 책을 보더니 조금 놀란 기색이었다.

"그 책, 어디서 가져온 거죠?"

"황현 씨 아버지에게서 빌린 거예요. 이 책을 소중히 간직하고 있었어요."

"아버지가요?"

네, 라고 대답하자, 황현은 물 쪽으로 손을 뻗어 물을 얼렸다. 그리고 내 쪽으로 걸어와 책을 보여 달라고 했다. 황현은 내게서 책을 받아 한 장씩 훑어보았다. 책을 받치는 손은 젊어 보이는 얼굴과는 달리 사십 대의 거친 손으로 보였다.

"이걸 아버지가 왜 가지고 있지?"

어느 것에도 쉽게 놀라지 않을 것 같던 황현은 책을 보며 당황하고 있었다.

"두 분 화해하시는 게 어때요?"

황현은 책을 넘겨 한장 한장 바라볼 뿐 아무 말이 없었다.

"지금이라도 저 구멍을 통해서 쭉 가면 황현 씨 아버지가 있어요. 많이 멀긴 하지만. 아니면 구멍 말고 밖으로 돌아서 가는 게 더 좋을 거예요."

"아니요. 만나지 않을 거예요. 이제 가세요. 참견하지 마시고."

"그럼 왜 이 동굴에서 연구하는 거죠? 그 논리적인 연구를 하시느라? 아니면, 할아버지 집이라도 구경 오세요. 할아버지가 저한테 열쇠를…"

"가! 가라고요!"

황현은 고함을 지르고 거침없이 나를 밀어 동굴 밖으로 내보냈다. 아까 전까지 냉철하게 말하던 사람이 저렇게 감정적으로 되다니 당황스러웠다. 황현도 화를 낼 줄 아는 걸 보니 사람이긴 한가 보다. 동굴 밖은 어둑어둑했다. 황현은 동굴 입구에서 나를 차갑게 째려보더니 들어가 나오지 않았다.

나는 바닥에 떨어진 책을 들고 터덜터덜 걸어서 다시 차로 돌아왔다. 그래도 자신의 책을 아버지가 소중히 간직하고 있다는 것을 황현에게 알려줘서 뿌듯했다. 화해를 시켜볼까 해서 갔지만, 막상 가니 내가 어떻게 할 수 있는 일이 아니었다. 황현의 말처럼 둘 사이에 무슨 일이 일어났는지 잘 모르니깐 말이다. 비록 화해는 못 시켰지만 이 책을 보여줘 조금이라도 황현에게 마음의 동요가 일어난 걸 보니 만족스러웠다. 저 사람도 나와 같이 똑같은 인간이었다. 솔직히 말해서, 황현에게 약간의 호감이 생겼다. 다르게 생각해보면 황현도 말이 통하는 사람이다. 오늘 같은 대화는 아마 황현 말고는 누구와도 할 수 없을 것이다.

서울로 돌아왔더니 10시였다. 아무도 없는 집은 어두컴컴해서 음산했다. 이상하게 몸에 기운이 하나도 없었다. 겨우 힘을 내어 씻고 침대에 누우니 갑자기 배가 아파왔다. 이제야 나는 오늘 하루 종일 먹은 거라곤 할아버지가 타준 코코아 한 잔이 다라는 것이 생각났다. 기운이 하나도 없는 것이 당연했다. 뭐라도 만들어먹을까 하고 나는 주방으로 내려갔다.

텅 빈 주방이 어색했다. 온기가 느껴지지 않아 오랜만에 밖에 나가서 친구와 술이나 먹을까, 하는 생각이 들었다. 나는 곧장 핸드폰을 들어 적당한 상대를 찾기 시작했다. 몇몇 사람에게 전화를 했더니 이미 거나하게 취했거나, 여자 친구와 있어서 힘들 것 같다고 했다. 일일이 연락하기도 귀찮고 차라리 혼자가 낫겠다 싶어서 밖에서 먹는 건 포기하고, 냉장고에서 전복을 꺼내 깨끗이 씻고, 칼집을 내고, 프라이팬에 버터를 발라서 구웠다. 서서 전복을 먹으려고 했는데 이 큰 집에 나 혼자 덩그러니 있는 것이 견딜 수가 없었다. 외로움일까. 무엇인지 모를 괴로운 감정이 커다랗게 커져서 내 몸을 마음껏 짓눌렀다.

이 짓누르는 감정을 없애고 싶던 나는 아버지가 술을 모아놓은 찬장에 가서 위스키 한 병을 꺼내 유리잔에 따랐다. 어렸을 때도 기분이 좋지 않으면 아버지 몰래 술을 꺼내서 먹곤 했는데. 이젠 아버지도 어머니도 이 집에 없다. 위스키를 한 모금 마시니 목구멍이 뜨거워지면서 온몸에 피가 뻗치고 머리가 핑 돌았다. 계속 술을 마시고 먹다 보니 더 허기가 져서 계란과 칵테일 새우와 토마토 등 냉장고에 있는 각종 재료를 몽땅 섞어서 스크램블을 해서 먹었다. 위스키는 벌써 반이나 날아가고 안주를 계속 만들어 먹어도 허기만 졌다. 피곤하고 기력이 없어서인지 금방 술에 취했다. 나는 괜스레 슬퍼졌다. 이게 현실인가. 할아버지도 황현도 결국 남이고, 아버지와 어머니는 이혼하고 나 혼자 이 집에서 침묵 속에서 살아가야한다는 것이. 예전부터 생각해온 거지만 사람은 도대체 왜 살아야하는지 모르겠다. 사람들은 무언가를 욕망한다. 그런데, 욕망한 것을 다 이루고 기뻐하다 슬슬 지겨워지면 권태가 찾아오고 결국 허무주의에 빠지게 된다. 모든 것이 다 허무하다. 생명은 정말 살아가려고 노력해야할 만큼 소중한 것일까?

할아버지는 어떻게 해서 그렇게 평온하고 초연할까? 할아버지가 좋은 이야기와 말을 들려줘도, 결국 나는 똑같다. 변하지 않았어. 하긴, 말만 듣는다고 변하면 모든 사람이 잘 살고 있겠지. 내가 아무리 재미를 쫓고, 돈을 펑펑 쓰고, 여자를 만나고, 매일 놀고, 여행을 가고, 안정적인 직장이 있고, 돈을 많이 벌고,

남을 도와줘도 인생이 지겹고 고통스러운 건 마찬가지다. 내 문제를 해결하기 위해 충분히 노력했다. 거기서 벗어나려고 발버둥쳐봤지만 다 똑같아. 결국엔 이렇게 술이나 마시면서 환멸감을 느끼는데 뭣 하러 삶을 유지하고 풍족하게 하려고 갖은 애를 써야 되는 걸까? 황현은 그 동굴 속에서 아버지를 등지고 연구를 하면 정말 행복할까? 황현과 할아버지와 나는 똑같은 사람인데 어떻게 그렇게 차이가 날까? 아버지랑 어머니는 나의 부모님인데도 우린 다르다. 이제 하나도 모르겠다. 내가 뭘 아는지 하나도 모르겠다.

술에 취해 횡설수설 혼잣말을 하다가 2층으로 겨우 올라가 침대에 누워 잠들었다.

일요일도 마찬가지로 침대에서 보냈고 월요일이 되어서야 나는 다시 떠밀리듯 일상으로 돌아왔다. 그나마 일을 해서 모든 생각에서 도피할 수 있었다. 나는 다시 토요일이 되기를 기다렸다. 할아버지를 만나고 싶었다. 황현의 책은 내 책상 위에 놔두고는 펼쳐보지 않았다. 별로 보고 싶지 않았다.

16

토요일. 할아버지의 낡은 집 앞에 도착했다. 오늘도 어김없이 문은 열려있었다. 두 개의 문을 지나고 집 안으로 들어왔다. 들어오면 항상 할아버지가 나의 발소리를 듣고 2층에서 내려왔는데, 오늘은 잠잠했다. 할아버지가 혹시 내가 들어오는 소리를 듣지 못 한건 아닌가 싶어, 할아버지라고 연신 외치며 2층으로 올라갔다. 밟을 때 마다 낡은 계단에서는 삐그덕 소리가 났다.

"할아버지!"

2층의 방 앞에서 불러도 내 소리 외에는 아무 것도 들리지 않았다. 노크를 하고 문을 열려고 했지만 문은 자물쇠로 잠겨 있었다. 나는 노크를 더 세게 했다. 역시 아무 대답도 없었다. 어디 잠깐 나간 건지, 나는 할아버지가 준 열쇠를 꺼내 자물쇠를 따고 먼저 방 안으로 들어갔다. 방은 조용히 침묵한 채 잔잔한 빛을 발하고 있었다. 나는 책을 하나 골라 읽으면서 할아버지를 기다려봐야겠다고 생각하여 책장을 천천히 훑어보았다. 가지고 온 황현의 책은 비어있는 곳에 꽂아놓고 재밌을 것 같은 책을 하나 꺼내 의자에 앉아서 읽었다. 책은 누리끼리했다. 내 예상과 달리 그 책은 썩 재미있지 않았다. 그래도 일단 골랐으니 참고 계속 읽어 보았다. 첫 부분은 별로였지만, 중간정도 읽으니 흥미진진했다.

앉은 자리에서 책 한 권을 해치우고, 시계를 보니 두 시였다. 할아버지는 오지 않았다.

어차피 할 일도 없으니 책이나 더 읽으면서 기다려야겠다고 생각했다. 다른 책은 뭐가 있을까, 더 둘러보려고 하는 찰나 밑에서 누군가의 소리가 들려왔다. 할아버지가 왔나 싶어 얼른 문을 열고 밑으로 내려가 보았다. 하지만 할아버지는 없고 워리 아저씨가 잔뜩 성난 얼굴로 나를 쳐다보고 있었다.

"애송이. 선생님 여기 계셔?"

"아니요. 안 계시는 데요."

나는 무뚝뚝하게 대답했다.

"근데 네가 여기 왜 있어. 집주인도 없는데."

"할아버지가 언제든지 와서 방에 있어도 좋다고 했어요."

"너한테? 망할 노인네."

워리 아저씨는 나한테 성큼성큼 걸어와서 그 때처럼 또 멱살을 잡았다. 나는 아저씨의 손을 뿌리치려 했지만 역부족이었다.

"왜 이러세요!"

"너, 선생님한테 이야기 전부 다 들었지."

"무슨 상관이에요."

"똑바로 말해. 들었어, 안 들었어?"

"다 들었어요."

"이야기 나한테 넘겨."

"제가 왜 그래야 되죠?"

"내가 쓰게. 써서 출판할 거야. 작가가 될 거라고."

"전 기억력이 안 좋아서 다 잊어버렸는데 어떡하죠?"

나는 일부러 거짓말을 했다. 워리 아저씨는 다짜고짜 내 뺨을 세게 때리고는 울분을 토해냈다.

"내 걱정이 현실이 됐어. 이런 애송이한테 넘기다니. 선생님도 너도 용서가 안 돼. 아니, 모든 것이 용서가 안 돼! 날 이렇게 만든 사회도 가족도 다!"

뺨이 얼얼했다. 나는 어이가 없었다. 누구에게 뺨을 맞아본 적은 처음이었다. 나는 흥분한 나머지 목소리가 조금씩 떨리기 시작했다.

"아저씨가 걱정할 일 아니에요. 할아버지는 저를 선택해서 이야기를 들려준 거지, 아저씨를 선택한 게 아니에요. 그 이야기를 어떻게 하든 제 마음이라구요."

"그래서 그걸 잊어버렸어? 이 멍청한 놈아?"

워리 아저씨는 내 뺨을 한 대 더 때리고 욕을 퍼부었다. 나는 계속 기억이 나지 않는다고 버텼다. 그럴수록 내 의지는 굳건해졌다. 이런 사람에게 절대 할아버지의 이야기를 넘겨줄 수 없었다. 깊은 뜻도 모르고 대충 문장만 화려하게 나열하고 허위 광고 문구로 돈을 벌어보려는 속셈일 텐데, 그렇게 할 수는 없었다. 나는 계속 맞기만 하고 침묵을 지켰다. 아저씨를 때리지는 않았다. 그냥 젊은 내가 맞고 말지, 일을 크게 벌이고 싶지 않았다. 어차피 워리 아저씨는 금방 힘이 빠졌는지 때리는 것을 그만두었다. 호흡기가 많이 상했는지 숨을 쉴 때 마다 쌕쌕 거친 숨소리를 내뱉었다. 아저씨는 고통스러워하며 흥분을 가라앉혔다.

"너, 다시 한 번 물어보는데, 기억이 정말로 안 나?"

나는 고개를 두어 번 끄덕였다.

"정말 기억이 안 난다니. 오늘은 일단 가지만, 내가 너 어떻게 하나 계속 지켜볼 거야. 그리고 선생님 보면 나한테 연락하시라고 전해."

"아저씨도 할아버지랑 연락이 안 돼요?"

"이번 주부터 연락이 안 돼. 수업하는 곳에도 안 오고. 노인네가 어디로 갔는지. 설마 죽은 건 아니겠지."

워리 아저씨는 마지막으로 내 등을 손바닥으로 한 대 치고는 가버렸다. 선생님을 보면 자기에게 꼭 연락 좀 하라고 전해달라는 말도 덧붙였다. 여전히 아저씨의 입에서는 담배로 인해 썩은 냄새가 났다. 아저씨의 뒷모습을 보며 아무리 힘들어도 저렇게 살진 말아야지, 라는 다짐을 한 나는 다시 2층의 방으로 돌아와 조용히 책을 읽었다. 읽는 중간에 할아버지의 코코아가 생각나서 타먹기도 했다. 하지만 그 때처럼 맛있지 않았다.

시침이 숫자 5를 가리켜도, 할아버지는 오지 않았다. 배가 고파진 나는 집에서 나와 아무 식당이나 들어가서 배를 채우고 다시 할아버지의 집으로 돌아왔다. 혹시나 내가 자리를 비운 사이 할아버지가 잠깐 들르지는 않았을까, 둘러봤지만 그런 흔적은 전혀 없었다.

책 한 권을 또 읽고, 다시 또 다른 책을 골라서 읽었다. 앞에 보이는 창밖은 어느새 깜깜해져 내 모습이 창에 비쳤다. 무언가를 기다리고 있는 내 모습. 핸드폰 시계를 보니 열한 시가 넘었다. 창 근처 고무나무의 이파리 색이 짙어졌다. 할아버지를 보지 못하고 나는 이만 집으로 돌아가야 했다.

책이 가득한 방과 이야기만 남겨놓고선 할아버지는 도대체 어디에 있는 걸까. 할아버지에게 물어볼 말이 있었는데. 오늘만 없는 거겠지?

아무도 없는 크나큰 저택에서 허전한 마음으로 나는 혼자 잠을 청해야 했다. 밤새 뒤척이다 새벽 네 시가 되어서야 얕은 잠이 들었다.

17

다음 날, 일요일. 나는 아침부터 할아버지의 집에 갔다. 여전히 집에는 아무도 없었다. 나는 커피를 끓이고 2층의 방으로 올라와 어제 읽다 만 책을 읽기 시작했다. 배고프면 중간에 밥을 먹고, 돌아와 다시 책을 읽었다. 저녁 열시가 되었지만 어제와 마찬가지로 할아버지는 보이지 않았다. 나는 시무룩해진 채 집으로 돌아갔다. 돌아온 집 역시 아무도 없었고, 아버지와 어머니에게도 당연하다는 듯 연락 한 통 없었다. 난 부모님보다 할아버지가 더 걱정되고 신경이 쓰였다. 어제와 마찬가지로 불안한 마음으로 잠에 들어야했다.

월요일, 퇴근하고 바로 할아버지의 집으로 향했다. 평일에는 계시지 않을까, 하여 희망을 가지고 문을 열어보았지만, 아무도 없는 빈 집이었다. 나는 방에서 또 책이나 읽으면서 기다려보았지만 오지 않았다. 화요일, 수요일, 목요일, 금요일에도 퇴근 후 나는 할아버지의 집으로 가서 책을 읽으며 할아버지를 기다렸다. 어차피 할아버지를 기다리는 것 외엔 나는 따로 할 일이 없었고 다른 일은 머릿속에 들어오지도 않았다.

토요일에는 많은 기대를 하고 할아버지의 집으로 갔다. 매주 토요일마다 만났으니깐 말이다. 하지만 할아버지는 없었다. 그날도 저녁까지 기다렸지만 허탕치고 다시 집으로 돌아와야만 했다.

일요일에도, 그리고 다음 주 월요일, 화요일, 수요일에도 나는 혹시나 하는 마음에 계속 집으로 찾아가서 책을 읽으며 기다렸다. 그렇게 한 달이 지나고, 두 달이 지나 흰 눈이 내리고 날씨도 추워졌다. 끈질기게 나는 할아버지를 기다렸지만 읽은 책만 계속 늘어갔고, 시간은 지치지 않고 힘차게 흘러갔다. 어느새 할아버지를 기다리며 할아버지의 방에서 책을 읽는 것은 습관과 당연한 일상이 되어버렸다.

책을 읽는 것은 특별히 재미있진 않았지만 읽을 만했고, 이 책을 읽은 할아버지의 생각을 엿보는 것 같아, 할아버지가 옆에 있는 느낌이 들어 큰 위안이 됐다. 중간에 워리 아저씨가 한 번씩 와서 내 멱살을 잡으며 할아버지가 어딨냐고 따지는 것, 부모님의 이혼과 커다란 집에서 혼자 밥을 먹는 것, 여가 시간에 아무도 만나지 않는 것도 모두 시간이 흐르니 자연스럽게 적응이 됐다. 이 생활이 익숙해진 나는 이제 슬프지도 외롭지도 않았다. 워리 아저씨는 할아버지가 정말 죽은 게 아니냐고 했지만 나는 그렇게 생각하지 않는다. 처음에는 부정하고 싶어서 매일 집에

와 억지를 쓰며 기다린 것도 없지 않아 있었지만, 지금은 굳게 믿고 있다. 할아버지는 잠시 어딘가로 가신 것뿐이라고. 그렇게 젊어 보이고 정정하신 분이 갑자기 돌아가실 리가 없다. 어쩌면 동굴에 있을지도 몰라, 라고 생각했지만, 나는 할아버지와의 약속을 지키기 위해 강원도에 있는 동굴로는 가지 않았다.

겨울이 지나고 봄이 왔다. 나는 스물아홉 살이 됐다. 그동안 나는 성실하게 일했던 덕에 회사에서 무리 없이 승진했고, 어머니는 정원관리사와 재혼했다. 정원관리사는 내가 기억한 대로 키가 아담하고 다부진 사람이었다. 결혼식에 참석하여 어머니와 새로운 남편, 아버지의 얼굴을 오랜만에 볼 수 있었다. 세 사람의 얼굴은 전부 행복해보였다. 아버지도 어머니와 이혼했지만, 나름대로 잘 살고 있는 것 같았다. 아버지는 어머니가 있었던 집에 들어오기 싫어서 조그마한 집을 구해서 살고 있다고 했다. 아버지는 내게 아직도 여자가 없냐고 말했다. 어머니가 던진 부케를 얼떨결에 내가 받았다. 나는 받자마자 민망하여, 부케를 근처에 있는 여자한테 허둥지둥 넘겨줬다. 어머니는 그런 나를 보고 활짝 웃었다. 어머니는 내게 자신은 지금 너무 행복하다고 말했다. 요즘엔 자신이 키우는 식물도 잘 죽지 않는다고 말했다. 정원관리사가 일주일에 한 번이 아닌, 매일 옆에 있어서 그렇다나.

봄이 지나고 내 생일이 있는 여름이 왔지만, 처음으로 나는 올해 생일에 아무 것도 하지 않았다. 난 계절이 바뀌든 시간이 흐르든 오로지 할아버지의 방에서 할아버지를 기다리며 책만 잔뜩 읽어댔다. 이 생활이 편했다. 지겨울 법도 한데 딱히 지겹지도 않았다.

가을이 지나고 겨울이 오고 내가 서른 살이 되었을 때, 나는 할아버지의 방에 있는 책을 전부 다 읽어버렸다.

마지막 책을 덮고, 나는 잠시 벽을 가득 메운 창을 바라보며 2년 전과 지금의 나를 떠올렸다. 할아버지와 동굴에서 만난 일과 여러 사건들이 스쳐지나갔다. 할아버지는 오늘까지 오지 않았다. 이제는 오히려 할아버지가 없는 것이 익숙해졌다. 지금 할아버지가 내 눈 앞에 보인다면, 기절할 정도로 놀랄지도 모른다.

이 많은 책들을 읽으며, 수많은 사상들과 이야기와 그 속의 문장들이 내 몸을 관통해갔다. 권태라고 말하며, 지긋지긋하고 다 똑같다고 느낀 것은 다 내 오만에서 왔던 두루뭉술한 감정들이었다. 나는 내 속의 무언가가 아주 조금씩, 예리하고 날카로운 칼로 긁혀져 조각되고 있었던 것을 몰랐다. 나는 그 칼의 반복적인 움직임만 봤을 뿐이지 무엇이 조각되고 있는지를 보지 못했다.

책을 다 읽고 할 일이 없어져버린 나는 창밖으로 보이는 풍경을 바라보며 이제 무엇을 하면 좋을지 생각했다. 눈으로 덮인 산, 산과 하늘의 경계선, 노을, 여전히 돌아가고 있는 놀이기구, 수많은 차가 왔다 갔다 했을 진회색 도로가 보였다.

갑자기 불쑥, 어떤 말이 내 귓가에 웅얼거렸다.

'이야기를 하나 써 줘.'

할아버지가 처음 이 집에서 내게 부탁하는 장면이 내 머릿속에 가득 차올랐다. 어찌나 뜨겁게 차올랐던지, 그것은 내게 거부할 수 없는 충동을 가지게 했다. 그 충동 사이에는 자신감 넘치는 열정이 섞여 있었고, 그 열정은 밖으로 새어나와 내 몸을 달아오르게 했다.

18

나는 할아버지가 들려준 이야기를 쓸 것이다. 아니, 써야 한다. 이 많은 책들도 다 읽어보았으니 써볼만 하다. 결심했다. 정말 할아버지 말대로 되는 구나. 할아버지는 내가 당신의 부탁을 들어줄 수밖에 없을 거라고 했었지. 할아버지의 예상은 정확했다. 어떻게 할아버지는 모든 것을 다 알고 있을까? 할아버지는 세상 속에 숨겨진 신비로운 예언자인 것만 같다.

다음 날부터 집에서 노트북을 들고 와 할아버지의 방으로 가서 타이핑하기 시작했다. 그 당시에는 열심히 할아버지의 이야기를 들어 이해했다고 생각했지만, 막상 그 때의 느낌을 그대로 살려 전달하려고 하니 꽤나 어려웠다. 할아버지 말처럼 글쓰기 수업을 들어 놓을 걸 그랬다. 문장을 내가 수려하게 쓰는 편도 아니었고, 내가 쓴 것을 보아도 글의 흐름이 매끄럽지 못했다. 게

다가 2년 전에 들려준 이야기라 기억나지 않는 부분도 있어 쉽지 않았다.

하지만 쉽지 않은 만큼 재미가 있었다. 할아버지의 이야기를 전해야 한다는 사명감으로 오랜 시간 동안 쓰고, 기억해내고 고치며 최대한 자연스럽게 쓰려고 노력했다. 그렇게 한 달이 흘렀고 회사에 다니면서 틈틈이 써내려간 덕분에 이야기는 중간 부분까지 오게 되었다. 글을 많이 써보지 않은 내가 여기까지 쓴 것도 대단한 일이었다. 하지만 중간 부분에서 더 이상 나아가기가 어려웠다. 여기서 도대체 어떻게 써야 하나 골머리를 썩이고 있는데, 마침 워리 아저씨가 집으로 찾아왔다.

워리 아저씨는 2년 사이에 폭삭 늙고 비썩 말라, 할아버지가 옆에 있으면 아마 할아버지보다 더 늙고 왜소해보였을 것이다. 항상 볼 때마다 똑같이 입고 오는 옷은 시커멓고 지저분했다. 뭐라 말로 표현할 수 없는 고약한 냄새와 여전히 입에서 풍기는 역한 담배 냄새는 화음을 이루어 공기 중으로 신나게 퍼져나갔다. 밖에서 노숙이라도 하는 건지, 도대체 어떻게 생활을 하기에 저런 꼴인지 모르겠다.

워리 아저씨에 대한 나의 감정은 복잡했다. 할아버지를 기억하고 꾸준히 찾아오는 모습이 나와 닮아 반가운 감정도 있긴 했지만, 워리 아저씨의 괴팍한 성격을 싫어했기에 좋지 않은 감정도 있었다. 할아버지에게 아저씨의 절망적인 상황을 대충 들었기에 안타깝고 동정심도 들었다. 나는 얼굴을 찌푸리며 일단 안으로 들어오라고 했다. 추운 날씨에 바들바들 떨면서 아저씨가 거실로 들어왔다. 거실은 여전히 사방이 책으로 성벽처럼 쌓여진 모습 그대로였다.

"너도 징 하다, 정말. 아직도 여기 있냐? 일하러 안 가?"

"일 마치고 여기 오는 거예요. 이제 여기가 집보다 편한걸요."

"야근은 안 하나봐? 요즘 세상 참 좋아졌네. 나 때는 죽어라 야근만 했는데 새파랗게 젊은 놈이 일을 안 한다니. 넌 2년이나 지났는데, 결혼도 안 해? 빨리 결혼해야지. 애는 언제 낳으려고 그래. 선생님은 죽었다니깐. 넌 아직 모르겠지만 시간 금방 간다?"

"그런 건 이제 상관없어요."

"도대체 저 위에서 뭐하는 거야? 숨겨놓은 금고나 비밀이라도 있는 거 아냐?"

워리 아저씨는 의심스러운 눈초리로 나를 쳐다보았다.

"별 거 없다니까요. 몇 번을 말해요."

"그럼 나도 들어가게 해달라니깐?"

"할아버지 허락 없이는 안 된다구요."

"선생님은 죽었다고! 죽어서 이제 못 오는 거야! 너 이러는 거 집착이야. 아니다. 너 혼자 다 차지하려고 그러지? 이야기도 잊어버린 멍청한 놈이 지금까지 할아버지를 기다릴 리 없어. 숨기는 게 없으면 저 위라도 들여보내게 해달라고!"

워리 아저씨는 막무가내로 2층에 올라가려고 했다. 나는 필사적으로 막아섰다.

"비켜! 난 돈이 필요해! 뭣도 없다면서 왜 이렇게 못 올라가게 하는 거야! 돈이 있는 게 분명해! 그렇지?"

아저씨는 정신이 나간 사람처럼 눈을 희번덕거렸다. 나는 조금 두려워져 목소리가 작아졌다.

"돈 같은 거 없어요. 저긴 할아버지의 소중한 공간이라 망치고 싶지 않아서 그런 거예요."

"소중한 공간? 돈이 있는 공간이라는 거지?"

"돈 없다니까요!"

"나한텐 돈이 제일 소중해. 돈이 있어야 살아갈 수 있어. 그러니깐 저 곳에 돈이 있는 거야. 비켜! 그러면 없다는 걸 증명해 보이라고!"

"돈이 제일 소중하다면서 담배 살 돈은 있나보죠?"

나는 힐끗 아저씨를 째려봤다.

"담배라도 안 피면 난 지금 여기에 없었을 거야."

나는 계속 아저씨가 와서 난리를 치는 것보다, 책 밖에 없는 방을 보여주고는 깨끗이 포기하게 하는 것이 좋을 것 같아 굳게 결심하고 2층을 보여주기로 했다. 2층을 보여주는 대신, 돈이나 돈이 될 만 한 것이 없으면 다시 찾아오지 말라고 했고, 워리 아저씨는 알았다고 대답했다.

우리는 2층으로 올라갔다. 문에 걸린 자물쇠를 보자, 워리 아저씨는 그럴 줄 알았다는 투로 말했다.

"역시, 뭔가 있으니 저렇게 자물쇠까지 잠가놓지."

나는 워리 아저씨를 흘겨보고 열쇠를 꺼내 자물쇠를 열고 방으로 들어갔다. 워리 아저씨는 방을 둘러보며 한 바퀴 돌았다.

"와, 이렇게 멋진 방을 너한테만 보여준 거야? 웃기는 양반이네."

워리 아저씨는 방 구석구석 살펴보았다. 책을 뺐다가 다시 넣고, 창을 열었다가 닫기도 하고, 대리석 바닥을 발로 두들겨도 보았다. 붉은 반달모양의 책상 밑을 보기도, 책상 밑에 깔린 러그를 들춰보기도 했다. 아저씨는 마치 일주일을 굶주려 먹을 걸 찾는 짐승처럼 혈안이 되어 방 안을 샅샅이 뒤졌다. 하지만 막상 뒤져도 자신이 원하는 것이 나오지 않자 나무의자에 털썩 앉아 멍하니 방을 다시 둘러보았다.

"왜 아무 것도 없지? 이상하네. 내 느낌으로는 분명히 뭔가 있어야 하는데…"

그러다 아저씨는 자신 앞에 있는 책상 위 닫혀있는 노트북을 물끄러미 쳐다보았다. 나는 그 순간 심장이 덜컹거렸고, 신경은 극도로 날카로워졌다. 아저씨는 미세하게 변하는 내 표정을 슬쩍 보고선, 옳거니 하며 노트북을 펼쳤다. 노트북은 암호를 입력하라는 창이 떠있었다.

"이거, 풀어봐."

"제 사생활에 간섭하지 마세요. 자, 방에 아무 것도 없는 거 보셨으니깐 귀찮게 하지 마시고 이제 그만 가세요. 가서 다시는 오지 마세요."

"갑자기 왜 이리 흥분하실까? 할아버지는 컴퓨터를 못하는데 이곳에 노트북이 왜 있는지 설명해볼래?"

"제 사생활이라니까요! 여기서 더 하시면 경찰 부릅니다. 이제 그만 하시고 가세요. 약속한 대로 다시는 오지 마세요."

잔뜩 긴장한 나는 살기를 띤 눈빛으로 아저씨를 내려다보며 경고했다. 그러자 갑자기 워리 아저씨는 윽 소리를 내며 얼굴이 사색이 되더니, 대리석 바닥에 털썩 주저앉아 몸을 떨기 시작했고, 연신 아프다고 소리를 질러댔다. 급작스러운 상황에 당황스러웠다.

나는 가슴을 고통스러운 듯 손으로 뜯고 있는 워리 아저씨를 부축해서 의자에 앉혔다.

"아저씨. 정신 차리세요. 갑자기 왜 이러세요? 응급차 부를까요?"

아저씨의 손은 심하게 떨리고 있었다. 그러더니 바닥에 털썩 쓰러져버렸고 아무리 때리고 불러 봐도 아저씨의 정신은 돌아오지 않았다.

이게 무슨 날벼락이야. 사실, 지금 아저씨의 엉망진창인 꼴을 보면 언제라도 돌연사로 죽어도 전혀 이상하게 보이지 않는다. 나는 빨리 응급차를 불러야겠다고 생각하여 핸드폰을 찾아보았는데 어디에도 보이지 않았다. 어디에 놓았는지 생각하다가, 황급히 계단을 내려가 대문을 열고 차로 달려갔다. 아니나 다를까, 차 안 조수석 위에 핸드폰이 올려져있었다. 핸드폰을 들고 아저씨의 상태를 보러 다시 2층의 방으로 뛰어올라갔다.

문을 벌컥 열었다. 하지만 내 눈 앞에 보인 아저씨의 모습은 다소 충격적이었다. 아저씨는 미친 사람처럼 소리를 지르며 책장에 있는 책을 마구 빼내고 있었다. 이미 반 이상의 책이 바닥에 나뒹굴고 있었다. 당황할 새도 없이 나는 재빨리 아저씨를 저지해야 했다.

"뭐하시는 거예요!"

"다 없애버릴 거야. 전부 다."

아까 쓰러진 것은 죄다 연기였던 것이다. 난 아저씨를 제압하기 위해 한참 실랑이를 벌였지만 미친 말처럼 날뛰는 아저씨를 내 힘으로는 도저히 막을 수가 없었다. 나는 바닥에 나뒹굴어졌다. 고무나무가 심어진 청자 화분은 책에 맞아 쨍그랑 소리를 내며 깨져버렸고, 화분 속에 있던 흙은 멀리 튀어서 금색 러그에 흩뿌려졌다. 구석에 있는 사다리를 창으로 던졌고, 책상에 있는 노트북도 던져버리려고 했다. 나는 깜짝 놀라 있는 힘을 다해 아저씨를 막았다. 노트북만은 절대 안됐다.

"줘! 다 필요 없어!"

"안돼요! 이건 제 거예요!"

워리 아저씨는 표정을 싹 바꾸더니 노트북을 손에서 놓지 않고 섬뜩하게 나를 쳐다봤다. 등줄기가 서늘해졌다.

"왜? 여기에 이야기라도 써놓은 거야?"

나는 당황해서 어쩔 줄 몰랐지만, 감정의 동요를 꾹 참았다. 노트북을 내 쪽으로 끌어당겼지만 아저씨는 쉽게 놓아주지 않았다.

"아니요. 회사 업무로 중요한 파일이 들어있어요. 이걸 부시면 당장 신고해서 손해 배상 청구할 거예요."

"회사 업무를 왜 이 방에서 해? 회사에서 노트북을 이렇게 깔끔하고 좋은 걸 쓰나? 그리고 그렇게 중요한 정보는 아예 외부로 나가서 보지를 못해요. 회사 안에서만 열람해야 되지. 내가 이래봬도 이름 있는 회사에서 부장까지 단 사람이야! 아무래도 수상하단 말이지…"

아저씨의 말에 벼락이라도 맞은 것처럼 온몸이 후끈거렸다.

잘못하면 중간까지 겨우겨우 쓴 이야기를 뺏겨버린다. 애초에 아저씨를 이 방으로 들어오게 한 내 자신을 자책하며, 머릿속에 떠오르는 대로 말을 뱉어냈다.

"여기가 편하니까요. 전 제 사비로 노트북을 사서 회사에 가지고 다녀요. 그리고 저희 회사는 보안 프로그램 같은 건 깔려있지도 않아요."

"거짓말 마!"

워리 아저씨는 의심스러운 눈초리로 노트북을 잡아 당겼다. 당기는 힘이 세서 나도 끌려와 넘어지고 말았다. 노트북은 워리 아저씨 손에 넘어가고 말았다.

"내가 모를 줄 알아? 내가 바보냐? 모른 척 해주니까 내가 진짜로 믿는 줄 알았어? 너 하는 거 보면 다 티 나. 내가 나이가 몇인데. 이 노트북엔 분명히 이야기가 들어 있어."

아저씨는 노트북을 들고 후다닥 뛰쳐나갔다. 나는 붙잡으려고 뛰어갔다. 아저씨는 우당탕 계단을 내려가 문을 열고 나가서 언덕 밑까지 내려갔다. 아저씨가 보이지 않을 때까지 쫓아가다가 그만 넘어져서 무릎을 다치고 말았다. 더 이상 뛸 수가 없었다.

나는 한 쪽 다리를 절고 거친 숨을 내뱉으며 다시 방으로 돌아왔다. 방은 난장판이었다. 도저히 수습할 엄두가 나지 않았다. 노트북도 뺏겨버린 나는 완전히 망연자실했다. 갑자기 이게 무슨 일이지. 예고 없는 태풍이 순식간에 지나가며 모든 걸 다 털어버린 것 같다. 생각 없이 저 정신 나간 아저씨가 방에 들어오는 걸 왜 허락해서는 이 꼴을 당한 걸까. 나는 아저씨에게 이 방을 보여주고 다시는 못 오게 하고 싶었을 뿐인데, 아저씨가 미쳐 날

뛰며 이렇게 난장판으로 만들지 몰랐다. 내가 그걸 예상하지 못해 당한 것이다. 내 자신이 너무 미웠다. 또 사람한테 당했다. 또.

바닥에 잔뜩 엎어져있는 책을 책장에 다시 꽂아놓다가, 도저히 그럴 힘이 나지 않아 방을 그대로 방치한 채, 차를 타고 집으로 돌아왔다. 돌아오자마자 침대에 엎어져 잠들었다. 난 정말 완전히 구제불능이다. 무릎의 피는 바싹 말라 바지와 딱 붙어 있었다.

3부

19

다음 날인 월요일 아침에 눈을 떴다. 미리 맞춰놓은 핸드폰 알람 때문에 겨우 눈을 떴다. 비몽사몽 하다가, 어제 있었던 일을 떠올리고는 또 다시 좌절감에 괴로웠다. 노트북은 다시 구입하면 되지만 이야기는 다시 쓸 엄두가 나지 않았다. 자책감에 젖어 아무 것도 하기 싫었다. 이럴 때 할아버지가 돌아와 내게 힘을 준다면 얼마나 좋을까.

손가락도 까딱하기 싫었던 나는 회사를 하루 쉬기로 했다. 아프다는 사정을 전화해서 이야기하니, 회사의 재량으로 유급휴가를 주었다. 평소에 지각을 안 하고 성실하게 근무한 덕이었다. 전화를 끊은 나는 멍하니 하얀 천장만 바라보았다. 집에 아무도 없어서 귀찮게 하는 사람도 없었다. 나는 잠이라도 자고 싶었지만 그러기엔 정신이 너무 말짱했다. 너무 말짱해서 고통스러울 정도였다. 하얀 침대 한가운데 누워 손가락 하나 까딱하지 않고 눈만 깜빡깜빡 거렸다. 정말이지 아무 것도 하기 싫었다.

두 시간 정도 지났을까, 배가 고팠지만 움직이고 싶지 않았다. 삼십 분이 지나고, 화장실이 너무 급하여 결국엔 침대에서 일어나야 했다. 오래 누워있던 나머지 허리가 아파왔다. 볼 일을 본 후, 갑자기 미친 듯이 뛰고 싶어진 나는 옷을 갈아입고 밖으로 나와 동네를 뛰었다. 쉬지 않고, 숨이 막히도록 뛰었다. 몸이 아파서 정신의 고통이 날아갈 때까지 뛰었다. 가슴이 쪼개질 듯이 아파왔다. 완전히 지쳐버린 후에 집으로 돌아와 샤워를 했다. 그 후, 다시 잠에 들었다.

한 시간 뒤, 배가 너무 허기져 눈을 떴다. 움직이고 싶지 않았지만, 움직이지 않을 수가 없었다. 하는 수 없이 일어났더니 배 안에 들은 것이 하나도 없어서 현기증이 났다. 잠시 주저앉았다가, 겨우 1층의 주방으로 내려가서 토스트를 해먹었다. 우유까지 먹은 나는 조그만 양에도 금세 배가 두둑해져 힘이 생겼다. 이상하게도 무엇이든지 해낼 수 있을 것 같은, 그런 엉뚱한 힘이었다. 때로는 무언가를 먹는 것은 굉장히 중요한 역할을 하기도 한다.

덕분에 나는 생각이 맑아졌고, 이야기를 다시 써보겠다고 굳게 마음먹었다. 아까까지만 해도 망연자실했는데, 어디서 이런 열정이 생긴 지 모르겠다.

할 수 있다는 자신감으로 한껏 부풀어서는, 옷을 갈아입고 차를 끌고 나와 전자제품을 파는 곳에서 노트북을 구입했다. 바로 집으로 돌아와 노트북을 켜 운영체제를 설치했다. 시간이 꽤 걸렸기에, 그동안 간단히 무언가 먹고 싶어서 주방으로 내려왔다. 냉장고를 열어보니 정리가 안 돼 엉망이었다. 어머니가 집을 나가고 이렇게 됐다. 어머니는 지금쯤 새로운 남편과 식물을 관리하고 있겠지. 식물을 자꾸 죽이던 어머니. 주방은 잘 관리했지만 식물은 관리하지 못하던 어머니였다.

'식물을 재배하는 능력과 요리를 잘하는 능력은 비례하다.'

어디선가 이런 연구 결과를 본 적이 있다. 연구 결과가 언제나 맞는 것은 아닌 것 같다. 시시때때로 예외는 생기고 돌연변이가 태어나고, 그래서 연구는 끊임없이 다시 해야 된다. 완전한 연구는 없다.

또한, 완전한 정리도 없다. 어머니가 냉장고를 정리하던 모습을 떠올리며, 지금의 엉망인 냉장고를 정리하기 시작했다. 안에 내용물을 전부 다 꺼내서 상한 것은 버리고, 깨끗이 닦고, 질서 있게 냉장고를 다시 채워갔다. 냉장고가 깔끔해질수록 내 기분도 상쾌해졌다.

어머니가 만들어놓았던 오리엔탈 드레싱을 뿌려 샐러드를 만들고 그릇에 담아, 2층으로 들고 올라갔다. 어느새 노트북은 설치를 완료하고 나를 기다리고 있었다. 시원한 야채를 아삭 씹으며, 나는 새로운 마음으로 다시 이야기를 쓰기 시작했다. 내 방에서 노트북을 하는 것은 오랜만이라 낯설었다.

막상 새롭게 마음을 먹고 이야기를 썼지만, 처음 쓸 때 막혔던 중간 부분에서 또다시 막혀 도저히 나아가지 못했다. 여기서 어떻게 이어나가야 할지 감이 아예 잡히지 않는다. 나는 나의 한계를 처절하게 느꼈다.

해답을 찾기 위해 매일 정시퇴근을 하고 글쓰기에 관련된 서적들을 찾아 읽어보기 위해 서점을 찾았다. 「글쓰기의 정석」, 「논리 통통 글쓰기」, 「스토리텔링 기법 100」 등등. 글을 잘 쓰기 위한 비법이 적혀있는 수많은 서적들을 볼 수가 있었다. 이 많은 책들을 다 볼 수가 없어서 몇몇 책만 사들고 집에 돌아가서는, 책에 적혀진 방법대로 실천해보았다. 하지만 이야기는 자꾸만 의도하지 않은 쪽으로 흘러갔다. 내가 의도한 쪽으로 자연스럽게 쓰는 것은 너무 어려웠다.

게다가 글을 잘 쓰는 규칙과 방법이 너무나 많았다. 한 가지의 주제를 정하여 그것을 드러내라, 인물의 성격을 살려라, 무의식적으로 써보아라, 우뇌로 써라, 일관적으로 써라… 그러다, '작가가 재미없어 하는 이야기는 독자도 재미없다'고 써져 있는 책도 있었는데, 그것은 다르게 보면 틀린 말이라고 생각한다. 내가 아무리 재밌다고 생각하며 이야기를 썼어도, 상대방은 재미없을 수도 있지 않은가? 원래 음치도 남이 말해주기 전에는 자신이 노래를 잘 부르는 줄로만 안다.

이래서야 아무리 이야기에 대한 지침서들을 봐도 획기적인 방법은 찾을 수 없었다. 그래서 나는 저명한 작가들의 자신의 집필 방법에 관련된 에세이와 자서전을 참고해보기로 했다. P의 이니셜을 가지고 있는 한 작가는 에세이에서 이렇게 말하고 있었다.

'나는 매일 아침 일찍 일어나 세 시간동안 열 장 분량의 글을 쓴다. 이것을 삼십 년째 지키고 있다. 다른 작가들이 글을 쓰며 겪는 여러 가지 종류의 어려움을 나는 이상하게도 경험해본 적이 없다. 한 번도 글이 막힌 적이 없었던 것이다. 나는 하루 대부분의 시간을 집필하는 데 투자하지는 않는다. 그리고 글을 마무리 짓고 나면 한동안 글에 대해서는 아무 생각하지 않는다. 그러다가 또 쓰고 싶어지면 내 마음 내키는 대로 쓴다.'

이건 뭐, 작가를 스토커처럼 따라다니지 않는 이상, 저 말이 진실인지 어떻게 알 수 있나? 나는 정말 저렇게 재능이 뛰어난 사람이 있을지 의문이 들었다. 자신이 저렇게 자신에 대해 공표 해버리면 그것은 정말로 사실 혹은 전설이 돼버린다. 자신의 진실은 자신만 알지 아무도 모른다. 이런 것이 진실이든 거짓이든 간에 참고만 될 뿐이지, 결국은 무엇을 봐도 실질적인 도움은 안 됐다. 어쨌든 글을 끝까지 써내려 가야하는 사람은 오로지 나 혼자이기 때문이다.

혹시 할아버지는 글을 다른 방식으로 쓰는 법을 가르쳐 주지 않았을까? 예전, 할아버지가 배우라고 할 때 배우지 않은 것이 이렇게 후회가 될지 몰랐다.

토요일 아침, 나는 운전을 하고 있다. 혹시 할아버지의 방으로 가면 실마리를 찾을 수 있진 않을까, 생각하여 할아버지의 집으로 향하는 중이다. 2층의 방을 가도 워리 아저씨가 바닥에 죄다 떨어뜨려 놓은 책 밖에 없겠지만, 거기서 기막힌 생각이 떠오를지도 모른다. 그곳은 내가 할아버지의 이야기를 들었던 의미 있는 장소이니 말이다. 차의 창문으로 풍경을 바라보니, 어느덧 산에 덮여있던 눈은 녹아있었고 돋아난 새싹은 들떠있는지 공기 중으로도 그 들뜸이 한껏 느껴졌다. 느낌이 산뜻하여 좋았다.

주차 후 낡은 집 안으로 들어와, 2층의 방문 앞에 왔다. 그런데, 문고리에 걸어놓은 자물쇠가 보이지 않았다. 내가 마지막으로 여기에 왔을 때 분명히 자물쇠를 걸고 나갔었는데, 지금 없는 것을 보니 누군가가 와서 자물쇠를 딴 것이 틀림없다. 나는 혹시나, 정말 혹시나 할아버지가 돌아온 것은 아닐까 잠깐 생각했다. 그러자 가슴이 금세 설렘으로 두근거렸다. 기대하는 마음으로 문을 벌컥 열어젖혔다.

커다란 창을 바라보고 있는 누군가의 뒷모습이 눈에 들어왔다. 할아버지? 짧은 검은 머리를 보니 할아버지는 아니었다. 나는 그것에 약간 실망했다. 그러면 워리 아저씨인가, 생각했지만 그러기엔 몸이 마르고 옷이 너무 말끔했다. 워리 아저씨가 한바탕 난리를 쳐 떨어진 책들로 엉망이던 방은 전부 깔끔하게 정리되어있었다. 원래의 고상한 빛이 감도는 할아버지의 방으로 돌아와 있었다. 저 사람이 정리한 걸까? 도대체 누구지?

"저기, 누구세요?"

나는 소리 내어 불러보았다. 그 사람은 내 소리에 뒤를 돌아 나를 바라보았다.

"안녕하세요. 오랜만이네요."

그 사람은 황현이었다.

20

"아, 정말 오랜만이네요."

나는 당황스러웠다. 황현을 오랜만에 보기도 했고, 이곳에 있을 거라고는 상상도 못했다. 게다가 2년 전보다 더 젊어 보여서 당황스러웠다. 시간이 지났는데 왜 늙지를 않지? 저 집안의 남자들은 전부 저렇게 젊어 보이는 유전자를 가진 것인가?

황현은 말끔한 검은 정장을 입고 있었다. 동굴에서 봤을 때는 흰 티셔츠와 청바지를 입고 있어서 대학생 새내기처럼 보였는데, 정장을 입은 걸 보니, 일에 찌든 직장인이 아니라 꼭 풋풋한 고등학생이 교복을 입은 것 같았다. 한마디로 말도 안 되게 어려 보였다.

황현은 안경 안에 있는 커다란 눈으로 나를 쳐다보았다. 그의 눈빛에 나는 또 알 수 없는 중압감이 느껴졌다. 이 세상 사람이 아닌 것처럼 너무 동안이라 내가 당황해서 중압감이 느껴지는 건지, 그 원인은 알지 못했다.

"방이 심하게 많이 지저분하더군요. 아버지가 그러진 않았을 거고, 혹시 당신이 그렇게 해놓은 건가요?"

황현은 내게 물었다.

"아니요. 설명하자면 길어지는데… 결론부터 말하자면 제가 해놓은 건 아니에요. 할아버지가 아시던 아저씨가 그런 거예요."

"그렇군요. 어쨌든, 나는 아버지를 만나러 왔는데, 여기에도 아버지가 안 계시네요. 어디 가신지 아나요?"

"저도 잘 몰라요. 그 동굴에 안 계시나요?"

"2년 동안 보이지 않았어요."

"2년 동안 한 번도 보지 못했나요?"

"네."

황현의 말을 들어보니, 할아버지는 동굴에도 가지 않은 모양이다. 그것도 2년이면 사라진 후에 아예 동굴로 가지 않았다는 소리인데. 나는 혹시 동굴에 계시는 건 아닐까, 하고 생각했었는데 도대체 어디로 간 것일까. 그나저나 황현도 할아버지를 지켜보고 있었나보다.

"말로는 연을 끊었다 하면서, 아버지를 지켜보고 있었나보죠?"

"네."

내 말에 조금은 동요할 줄 알았던 황현은 아무런 감정의 동요도 보이지 않고 무덤덤했다.

"나는 그 동굴 구멍에서 아버지를 쭉 지켜보았어요. 아버지는 항상 의자에 앉아서 내가 있는 쪽을 바라보았어요. 아버지한테는 내가 보이지 않고, 깜깜한 구멍만 보였을 거예요. 도대체 무엇을 보며 무슨 생각을 하고 있는지 헤아릴 수 없는 표정으로 가만히 구멍만 바라보았어요. 구멍에 무엇이라도 있을까? 어떻게 계속 의자에 앉아서 한 치의 흔들림도 없이 구멍만 바라볼 수 있을까? 그냥 깜깜한 구멍일 뿐인데. 난 궁금했어요. 그래서 아버지를 항상 지켜보았죠."

"그 때는 허영에 부푼 관대함을 가진 사람이라고 매도하더니, 황현 씨가 아버지를 지켜보고 있을지는 꿈에도 몰랐네요."

나는 소리에 은근한 힘을 주며 말했다. 하지만 황현은 나의 비꼬는 소리에는 관심도 없어 보였다. 자신의 아버지를 회상하며 자신만의 세계에 빠진 듯, 말을 꺼내기 시작했다.

"아버지는 나와 다른 만큼, 아주 흥미로운 사람이에요. 마치 같은 피가 아닌 것처럼 나와 너무나 달랐지만, 그분을 결코 무시할 수 없었어요. 아무리 인성을 용서할 수 없다고 해도."

"그럼 화해라도 하지 그랬어요. 아버지가 이렇게 사라져버리기 전에."

황현은 나를 보고 풍선에 바람이 빠지듯 피식 웃었다.

"남의 일에 참견하는 거는 여전하네요."

어떻게 저런 앳된 웃음을 지을 수 있을까? 황현은 책장으로 눈을 돌려 책을 쓰다듬고, 반달책상을 쓰다듬었다. 쓰다듬는 그의 손을 바라보았다. 그 때처럼, 손만큼은 사십 대의 손처럼 보였다. 책상 위에는 황현의 검은색 코트가 올려져있었다.

"내가 어릴 때나 지금이나 아버지는 똑같아요. 이 집도 가구도 여전하고… 그나저나 당신은 여기 왜 온 거죠?”

“황현 씨 아버지가 이곳을 마음대로 쓰라고 했어요.”

“그랬군요. 아버지가… 아버지는 당신과 무엇을 했죠?”

“저번에 동굴에서도 말했듯이, 놀라운 이야기를 들려주셨죠. 당신 말로 바꿔 말하자면, 터무니없는 이야기이겠지만.”

“혹시 어떤 이야기를 했는지 말해줄 수 있나요?”

“싫어요. 이제 와서 흥미가 생기나 보죠? 말해달라고요? 할아버지는 저한테만 그 이야기를 넘겼고, 제 마음대로 하라고 했어요. 이제 제 이야기에요.”

황현은 내 말에 크게 웃었다. 아들 아니랄까봐, 할아버지의 호탕한 웃음과 흡사했다.

“당신 이야기? 당신의 머리에서 나오지 않았는데 어떻게 당신 이야기라는 거죠? 이야기를 완벽하게 듣고 이해했다고 해도, 아버지의 머리와 당신의 머리는 완전히 달라요. 아버지가 상상한 장면과 당신이 상상한 장면은 완벽하게 다르다구요.”

나는 황현의 정확한 말에 움찔했다. 맞는 말이다. 갑자기 복잡했던 내 머릿속이 하나의 명쾌한 답으로 맑아지고 있었다. 내가 이야기를 완성시키지 못하는 이유는 내 이야기가 아니기 때문이다. 나는 황현 덕분에 이야기를 쓰다 막힌 이유를 정확하게 알게 되었다. 그래도 할아버지의 이야기를 완성시키고 싶고, 그래야만 하는데…

찾던 답을 알게 된 나는 워리 아저씨가 노트북을 가져간 것처럼, 또 한 번 망연자실해야 했다. 황현은 날카로운 눈빛으로 나를 쳐다봤다. 황현의 눈에 어린 차가움은 할아버지를 떠오르게 했다.

"닮았네요."

"뭐가 닮았어요?"

"할아버지와 황현 씨요."

"우린 완전히 달라요."

"아니, 비슷해요. 웃음소리, 젊어 보이는 외모, 똑똑한 머리, 날카롭게 말하는 것, 심지어 눈빛까지, 둘은 많이 닮았어요."

"겉모습은 유전자 때문에 어쩔 수 없이 닮았는지 모르겠지만, 우리 생각은 완전히 달라요."

"아니요. 생각도 똑같아요."

"어떻게 똑같다는 거죠?"

황현은 손가락으로 안경테를 살짝 잡아 올렸다.

"둘의 의견이 극과 극이라면, 그것은 거의 똑같은 거나 다름없어요. 동전의 양면과도 같아요. 한 끗 차이일 뿐이고, 언어의 장난에 불과하죠."

"꽤 그럴듯한 소리도 할 줄 아시는 군요."

"저도 할아버지가 읽었던 이 많은 책들을 다 읽었거든요. 2년 전과 저는 달라요."

2년 전과 나는 다르다. 내가 이 말을 뱉어 공기 중으로 퍼지는 순간, 나는 온몸에 확신감이 폭포처럼 힘차게 퍼졌다. 2년 전과 나는 **다르다**. 할아버지가 내게 이야기를 써달라고 말을 뱉은 순간, 자신의 이야기를 쓸 사람은 나라는 확신이 들었다고 말했던 기억이 떠올랐다. 할아버지 말의 의미를 나는 지금 온몸으로 이해하고 있었다. 내 몸의 감각이 전부 활발하게 깨어나는 걸 느껴졌다. 피부의 구멍 하나하나까지 깨어나, 주위에 있는 공기도 전부 빨아들일 기세였다. 모든 물건의 색깔이 더 뚜렷하게 보였고, 대화 중간의 정적까지 감미로운 음악처럼 들렸다.

"다르다… 닮았다… 당신의 말이 맞아요. 언어는 부유하는 의미들을 붙잡아놓은 감옥과도 같죠. 아버지도 그렇게 말씀하셨죠."

황현은 다시 반달책상을 천천히 쓰다듬었다. 책상을 바라보는 황현의 눈빛에서 알 수 없는 감정이 보였다. 말은 저렇게 하면서도 아버지를 그리워하는 것은 아닐까.

"아버지를 찾아주세요."

"네?"

내가 잘못 들었나?

"아버지가 필요해요. 아버지가 돌아오게 해주세요."

"아버지와 만나지 않는다고 말했었잖아요."

"연구가 막히고 있어요. 아버지의 의견이 꼭 필요해요."

"연구에 필요하니깐 이제 와서 아버지를 돌아오게 해달라고요?"

"네."

나는 어이가 없었다. 아까 잠깐 좋았던 기분은 황현의 안하무인으로 금세 싹 시들어버렸다.

"필요 없으면, 돌아오지 않아도 되는 거예요?"

"네."

황현은 당연한 표정으로 말했다.

"그게 뭐에요. 만약 아버지가 돌아오면 어떻게 할 건데요?"

"내 연구에 참여시킬 겁니다."

"도대체 그 놈의 연구가 뭔데 그래요? 그렇게 중요한 거예요?"

"저한텐 인생을 건 연구에요."

"빌어먹을 연구. 황현 씨는 연구를 하느라 술도 안 먹고, TV도 안 보고, 가족이나 친구도 안 만나겠어요. 그렇죠?"

"나는 무엇보다도 내 연구가 제일 재밌고, 가장 중요해요. 다른 것들은 나한텐 취미생활일 뿐입니다. 아버지도 마찬가지였어요. 아버지에게도 연구가 가장 중요했죠."

"가족이나 친구가 취미생활?"

"네. 말로 하자면, 취미생활과 동일한 위치 선 상에 있어요."

황현은 손가락으로 안경테를 건드렸다. 한 치의 흔들림도 없는 시커멓고 커다란 눈으로 나를 똑바로 쳐다봤다. 항상 나를 얼어붙게 하는 그 눈빛은 마음에 들지 않았다. 연구가 그렇게도 중요한 건가? 하나에 미치면 저렇게 사람이 독해지는 걸까?

"있잖아요, 황현 씨가 연구가 가장 중요하다고 했던 것처럼, 보통의 다른 사람한테는 가족이 가장 중요한 사람이 있어요. 그런 사람은 황현 씨를 이해하지 못할 거예요. 오히려 화날 수도 있겠네요. 인간적이지 않은 사람이라고 욕할 수도 있겠어요. 또는 괴물이나 별종, 악질이라고도 말하겠죠? 제가 보기에는 황현 씨는 인생의 중요한 것을 놓치고 연구로 도피하는 사람으로밖에 보이지 않네요. 번거로운 집안일은 전부 아내 분한테 떠넘겼죠? 냉장고는 한 번이라도 열어본 적 있어요? 자식 교육이나 경제 문제도 무관심하겠죠. 왜냐면 연구만이 황현 씨 인생에서 가장 중요할 테니깐. 아들이 어떻게 크고 있는지도 모르겠죠. 어제는 무엇을 했고 오늘은 무엇을 하고 있고 내일은 무엇을 하게 될지도 예상하지 못하겠죠."

나는 나도 모르게 비아냥거렸다. 일 밖에 모르던 아버지가 떠올라서 더 민감해진 것이다. 마치 아버지에게 하고 싶었던 말을 황현에게 대신 쏟아낸 것 같다. 내 말에 황현은 눈썹을 살짝 일그러뜨리고 입을 열었다.

"악질? 괴물? 그러면 당신은 어떤데요? 당신도 가족이나 친구나, 술을 먹는 것을 제일 중요하게 여기나요? 아니면 피규어나 프라모델 수집하기? 또는 컴퓨터나 스마트폰 게임? 사람들이 올려놓은 맛집을 찾아다니면서 돈 쓰고 쇼핑하기? 회사가 끝나면 소파에 파묻혀서 잠이 들 때까지 TV 시청하기? 도대체 당신한텐 뭐가 제일 중요하죠? 뭐가 중요한지 알기나 하나요? 나는 내 자신에게 가장 중요한 것을 발견하고 살아있는 동안 있는 힘껏 실천하며 사는 것뿐이에요. 내 인생에 당신이 왈가왈부할 처지가 아닙니다. 게다가, 당신은 내 아버지는 대단한 사람이라고 말하면서 나한테는 비아냥거리고, 이상한 논리를 붙이면서 왜 자꾸 밀어붙이려고 하는 거죠?"

나는 황현의 말에 바로 대답하지 못했다. 대답할 말을 찾지 못했다. 황현이 말한 것처럼, 나에게 제일 중요한 것이 무엇인지조차 몰랐기 때문이다. 나도 나를 돌아보았을 때, 가족이나 친구가 제일 중요한 건 아닌 것 같다. 그렇다면 무엇이 중요할까?

황현은 할아버지가 워리 아저씨한테 말하던 것처럼, 차분하고 냉정한 말투로 말을 이어갔다. 하지만 할아버지보다 톡 쏘아

붙여 더 날카로웠기에 무서운 느낌이 섞여 있는 말투였다.

"말이 없는 걸 보니 당신은 정말로 중요한 것이 무엇인지 모르나보네요. 내가 말해줄까요? 정말로 중요한 것은 자기 자신이에요. 자기 자신이 중요하다면 그게 중요한 거고, 누구도 그것에 뭐라고 비난할 권리는 없습니다. 나는 나에게 해가 될 만한 것은 절대 용납할 수가 없어요. 가족이 됐든, 친구가 됐든 간에요. 아버지도 나와 이것만큼은 비슷한데, 아까도 말했듯이 아마도 당신은 나에게 지금처럼 반박했던 것만큼, 아버지에겐 뭐라고 하지 않을 거라는 걸 인정할 수 있을 거예요. 내가 단순히 마음에 안 든다고 아무 말이나 뱉으면서 몰아붙이면 안 되죠. 내가 정말 이해되지 않는 건, 자신한테 분명 해로운 것임에도, 아무 생각 없이 그걸 받아들여서 해를 입어서 고통을 받은 다음, 다른 사람들한테 괜히 화풀이하는 것이에요. 당신은 혹시 이런 화풀이를 나한테 하고 있는 것은 아닌가요? 이게 바로 당신이 말한 인간 같지 않은 악질이라 할 수 있지 않나요? 이제 되지도 않는 비판은 그만두시고, 아버지를 돌아오게 할 방법이나 생각해보죠. 그건 당신도 좋아할만한 일일 것 같은데."

이제 나는 대꾸할 말이 없어 조용히 입을 다물어야 했다. 또, 황현의 마지막 말은 맞는 말이었다. 나도 할아버지가 돌아왔으면 좋겠다. 나는 누군가를 이렇게 오래 기다려본 적이 없다. 하지만 돌아오게 할 방법은 알지 못 한다.

"일단, 아버지와 당신은 어떤 사이였는지 구체적으로 말해줄 수 있나요? 아버지를 마지막으로 본 사람이 아마 당신인 것 같으니, 당신과 아버지에서 있었던 일을 아는 것이 중요할 것 같네요."

황현은 왼손으로 셔츠의 맨 위 단추를 하나 풀면서 말했다. 나는 할아버지를 찾기 위해 황현과 협조해야겠다고 생각했다.

"음, 처음부터 말해볼게요. 할아버지를 동굴에서 처음 봤을 때, 다짜고짜 저에게 부탁할 일이 있다고 했어요. 알고 보니, 그 부탁은 자신의 이야기를 듣고 써달라는 거였어요. 자신의 감으로 내가 본인의 이야기를 듣고 써줄 것을 확신했어요. 그리고 대가 비슷한 것으로, 저의 고민이나 궁금한 것을 말하면 답해주곤 하셨죠. 그렇게 매주 토요일마다 만나면서 대화를 나눴어요. 네, 다섯 번 정도. 이야기가 끝났을 때, 이 방의 열쇠를 줬는데 그 후로 할아버지는 사라졌죠."

"아버지가 이야기를 써달라고 했군요. 당신에게 다 말하고 떠났고… 그럼, 현재 그 이야기는 다 써진 상태인가요?"

나는 황현한테 현재 이야기가 중간에서 막히고 있다고 말하고 싶지 않았다. 괜한 자존심이었다.

"지금 쓰고 있어요."

"2년이나 지나지 않았나요? 아직도 완성을 못 시킨 거예요? 빨리 완성시키고 그걸 책으로 내세요. 아버지가 서점에서 그 책을 볼 수 있게. 보면 여기로 돌아올 가능성이 높아요."

나는 확실하게 그렇게 하겠다고 바로 답할 수가 없었다. 두 번이나 쓰고 있음에도, 중간에서 도저히 나아가지 못했기 때문이다. 그렇다고 거짓말로 다 쓸 수 있다고 확답을 하기도 싫었다. 나는 머뭇거리며 아무 말하지 못했다.

"왜요, 무언가 막히는 부분이 있나요?"

역시나, 황현은 내 우물쭈물한 모습을 보고 눈치채버렸다. 난 대답하지 않은 채 괜히 주먹을 불끈 쥐었다. 황현의 말대로, 이야기를 써서 책을 낸다면 할아버지가 돌아올 수도 있다. 할아버지의 부탁을 들어줬다는 것을 증명한 셈이니깐. 하지만 이야기를 쓸 수가 없다. 그것은 황현의 말대로 내 이야기가 아니었다. 황현의 앞에서, 그의 말이 맞으니, 이야기를 쓰지 못하고 있다고 말하고 싶지 않았다. 쓸데없는 자존심이었다. 하지만 완성시켜야 한다. 황현에게 이걸 말하면, 똑똑한 황현은 나름대로 현답을 말해줄 것이다. 하지만 난 입이 떨어지지 않았다. 어떻게 할지 몰라 꽉 쥔 주먹이 살짝 떨렸다.

"막히는 부분이 있나보군요. 그럴 만하죠. 당신 이야기가 아니니깐."

역시나. 황현은 내가 말하지 않아도 이미 알고 있다. 나는 황현의 눈을 피해 침묵했다.

"그러면 아버지 이야기 말고, 당신의 이야기를 써요."

"네? 그러면 할아버지의 부탁을 들어준 게 아니잖아요."

"당신의 이야기 속에 아버지 이야기를 넣어요. 그러면 부탁을 들어준 거나 다름없잖아요. 더 쉽게 느껴지지 않나요? 그냥 당신이 쓰고 싶은 대로 당신의 이야기를 쓰면 되는 거예요."

나는 황현의 말을 되새김질했다. 나의 이야기라. 내가 겪은 이야기를 쓰라는 건가? 그렇다면 어렵지 않다. 할아버지도 이야기를 가지고 삶아먹든 팔아먹든 마음대로 하라고 했었다. 그런 의미로 나에게 말을 했던 것이었을까. 나는 어쩌면 완성시킬 수 있을 것이라는 확신감이 조금 생겼다. 막힌 사고가 뻥 뚫리는 느낌이었다.

"뭐, 참고해볼게요."

황현은 그 말에 살며시 미소를 지었다.

"그래요. 이야기를 쓸 땐 자신감이 중요하죠. 이제 당신은 잘 쓸 수 있을 겁니다. 그리고 아버지가 당신한테 부탁한 데에는 다 이유가 있을 거예요. 당신을 믿어요."

그 말을 끝으로 인사도 없이 코트를 챙기고 황현은 휭하니 가버렸다. 제멋대로인 것마저 할아버지와 꼭 닮았다.

21

황현의 말대로, 나의 이야기를 쓰는 것은 아무런 부담이 없었기에 가벼운 마음으로 처음부터 다시 시작했다. 이야기는 술술 진행되었다. 할아버지의 이야기를 쓸 때는 나도 모르게 긴장되고 부담의 무게가 실렸었나 보다. 억지로 할아버지가 되어 할아버지의 입장에서 할아버지의 이야기를 쓰려고 했던 것이다. 그래서 진도는 나가지 않고 자꾸 앞으로 가서 맴돌았다. 황현이 썩 내키지는 않았지만, 그의 명쾌한 말은 일리가 있어서 무시할 수가 없다.

회사에서 퇴근하면, 집에 와서 이야기를 썼다. 나의 이야기를 쓰는 것이라, 아무래도 개인적인 경험과 할아버지 이야기에 대한 나의 주관적인 의견이 많이 들어가게 되었다. 할아버지와 주변사람에 대한 나의 생각들도 말이다. 한 번 불이 붙자, 이야기는 막힘없이 이주일 만에 금세 완성되었다. 회사 다니면서 짬짬이 쓴 것인데 벌써 완성되다니. 이야기를 쓴다는 것은 정말 재미있는 행위이다. 이렇게 쉬운 일이었나? 처음 쓸 때는 한 달이 되어도 진도가 나가지 않아 끙끙거렸는데 말이다. 쉽게 술술 쓰여도 절대로 만만하지 않은 작업이라는 점 또한 좋았다. 약간의 난이도가 있는 미션을 처리하는 것보다 더 좋은 쾌감이 있을까? 글을 쓰는 동안에는 매일 같이 드나들던 할아버지의 집은 가지 않았다.

다음 날인 일요일에는 퇴고를 하고, 출판사에 이메일로 이야기를 보냈다. 그 후 일을 끝냈다는 생각에 피로가 한꺼번에 몰려왔던 나는 바로 깊은 잠에 빠져들었다. 2년 전이랑 달라진 게 또 있다면 체력이 부족해졌다는 것이다. 나이를 먹는다는 것이 이런 걸까. 운동을 시작해야겠다고 생각했다.

월요일, 피곤한 몸을 이끌고 회사에 갔다. 일상은 똑같았고 특별한 일은 일어나지 않았다. 일을 하고 밥을 먹고 퇴근하고 집을 가고 잠을 잤다. 자고 일어나면 다시 일을 하고 밥을 먹고… 중간중간에 할아버지의 책장에 있던 책이 아닌, 내가 스스로 고른 책도 간간이 읽었다.

금요일이 돼도 출판사에서는 아무런 연락이 없었지만, 나는 일단 나를 누르고 있던 할아버지의 부탁에서 벗어나 기분 좋은 나른함을 즐겼다. 책을 내지 않아도 완성했다는 것 자체에 의의가 있다. 나는 할아버지의 부탁을 들어주었다. 부탁을 들어준 것을 알게 되면 할아버지는 해맑은 소년 같은 웃음을 지었을 텐데. 아니면 호탕하게 큰 소리로 웃었을까?

다음 날 토요일, 습관처럼 할아버지의 집으로 갔다. 아침 9시에 도착해 익숙한 문을 열고, 방에 들어갔다. 역시나 오늘도 할아버지는 그곳에 없었다. 커다란 창밖으로는 이제 막 싹이 올라와 연둣빛이 나는 산이 보였다. 산 중턱쯤에는 어느새 만개한 노란 개나리도 보였다. 얼마 안 있으면 여름이 올 것이고 내 생일도 돌아올 것이다. 작년처럼 이번에도 생일파티는 하지 않을 생각이다. 이젠 나에겐 특별한 생일파티는 필요하지 않다. 쓸데없는 습관이다. 그 때, 누군가 현관문을 여는 소리가 들렸다. 설마 하는 마음에 1층으로 내려갔다. 여전히 낡은 계단에서는 부서질 것 같이 불안한 삐그덕 소리가 났다.

"애송이!"

할아버지가 아닌 워리 아저씨였다. 추레한 노숙자 차림을 한 아저씨의 손에는 저번에 나에게서 뺏어간 노트북이 들려져있었다.

"토요일에는 네가 여기 있을 줄 알았어."

"이제 여기 오지 않기로 하지 않았나요?"

나는 경멸하는 눈으로 아저씨를 째려보았다.

"내가 언제?"

아저씨는 노트북을 내 손에 들려주었다.

"노트북 안에 있는 이야기, 할아버지가 말해준 거 맞아?"

나는 이야기를 완성했기에 워리 아저씨가 뭐라 하든 상관없었다. 이미 원고도 출판사에 넘겼다.

"네. 맞아요. 어떻게, 비밀번호는 용케 풀었나 보네요."

"맞다고? 그 이상한 점 이야기가? 네가 잘못 쓴 거 아니야?"

"할아버지 이야기 맞아요."

"아, 그러면 괜한 헛짓거리 했잖아. 그런 형편없는 이야기로 어떻게 돈을 벌어?"

워리 아저씨는 오늘도 내 멱살을 잡으며 고래고래 소리를 질렀다.

"책임져. 내 2년 책임지라고!"

나는 멱살을 잡은 손을 떼어 내고 옷깃을 매만졌다.

"전 아저씨를 책임질 이유 없어요. 그 이야기가 형편이 없다면 아저씨가 직접 쓴 원고로 책을 내서 정정당당하게 돈을 버세요. 행패부리지 마시고. 그리고 할아버지 이야기를 모욕하지 마세요."

"넌 내게 정신적 피해를 입혔어. 돈이라도 내놔!"

아저씨는 내게 펼친 손을 들이댔다. 아저씨의 시커먼 손은 해골처럼 바짝 마른 노인의 손과 똑같았다.

"직접 노동해서 버세요. 도대체 아저씨는 무슨 생각을 하면서 사는 거예요? 2년 동안 어떻게 달라진 것이 하나도 없어요?"

"너 같이 운 좋은 놈은 벌을 받아야 돼. 항상 나같이 불쌍한 사람이 더 불쌍해지고 불행이 찾아오지. 나는 이제 가족도 뭣도 아무 것도 없다고. 다 내 곁을 떠나갔어. 아무 것도 할 수가 없어. 은퇴하고 나이가 들고 몸도 성치 않은데 돈은 들어갈 곳이 너무 많아. 돈이 있어야 건강해서 돈을 벌 수 있는데… 돈을 벌려고 일할수록 몸이 더 아파와. 아파서 병원에 가면 일한 것보다 병원비가 배로 더 많이 나온다고. 이런 상태에서 내가 무얼 하겠냐? 난 밤에 잠도 잘 자지 못해. 시뻘건 눈으로 밤을 지새우고 또 이 하루를 버티며 살아가야하는 이 심정을 알아? 너 같은 놈은 아무 것도 모르지. 죽을 때까지 모를 거야. 너는 가난이라는 걸 알기나 하냐? 비참한 심정을 알기나 해? 빨간 딱지를 본 적이라도 있냐, 이 버러지 같은 놈아?"

"아저씨한테 욕 들을 만한 행동은 하지 않은 것 같은데요. 제발 이젠 여기 오지 마세요. 오면 주거침입죄로 신고할 거예요. 이제라도 정신 똑바로 차리고 사시면 되잖아요! 왜 괜히 저한테 이러세요!"

"너 같으면 정신 똑바로 하고 살 수 있겠냐고, 이 개놈아! 알지도 못하면서 함부로 지껄이지마! 너한테 돈이라도 뜯어 가야겠어!"

워리 아저씨는 또 내 멱살을 잡으며 온갖 욕설을 해댔다. 입에서는 침이 나와 내 얼굴로 튀겼다. 나는 침을 맞고 불쾌한 나머지, 순간적으로 워리 아저씨를 있는 힘껏 밀쳤다. 아저씨는 바닥에 내팽겨 쳐졌다. 그리곤 그대로 얼굴을 들지 않은 채 몸을 떨기 시작했다. 지저분한 머리는 얼굴을 가려 아저씨의 표정이 잘 보이지 않았다. 바닥으로 물이 떨어졌다. 워리 아저씨는 울고 있었다.

"차라리 고통 없이 죽어버렸으면 좋겠어. 자살할 용기도 힘도 없다고… 나를 누가 죽여줬으면… 수면제라도 사서 왕창 먹고 죽게 돈이라도 있었으면…"

아저씨는 이제 엎드려서 큰 소리로 울기 시작했다. 나는 한숨이 나왔다. 아저씨를 어떻게 해야 할지 모르겠다. 나는 일단 아저씨를 일으켜 세웠다.

"있잖아요, 아저씨. 고통 없는 사람은 없어요. 그걸 참고 견뎌내야죠. 아저씨만 괴로운 게 아니라, 저도 사는 것이 때론 아주 괴로울 때가 있어요."

아저씨는 고개를 들었다. 내 눈 앞에서 바로 보이는 아저씨의 얼굴은 검은 물로 뒤범벅되어 있었다. 눈물이 씻지 않은 거무죽죽한 피부와 섞여서 검은 물로 변한 것이었다. 눈두덩에는 살이 없어 축 쳐져있고 볼은 움푹 패인 추한 얼굴과 입에서는 썩은 음식물과 담배 냄새가 났다. 살아있는 해골 같은 모습을 가까이서 보니 나는 저절로 몸서리가 쳐졌다. 이정도의 혐오스러운 모습은 보는 사람 입장에서 폭력이나 마찬가지다. 사람이 이렇게도 망가질 수 있다는 것을 난 알게 되었다.

"난 도저히 이겨낼 힘이 없어… 여기서 살게 해주면 안 될까? 난 집이 없어. 여기서라도 살게 해 줘."

아저씨는 불쌍한 표정을 지으며 내게 애걸복걸했다. 나는 잠시 고민했다. 내 집도 아닌데 내가 허락해준다고 여기서 살아도 되는 건가? 할아버지가 없으니 대신 황현한테라도 물어봐야하는 것은 아닐까?

"아저씨, 일단 여기는 제 집이 아니에요. 할아버지는 저 2층의 방에서 마음대로 책을 읽으라고만 하셨지, 이 집을 양도한 것은 아니에요. 법으로 계약서를 쓴 것도 아니고. 제가 허락해 줘봤자 소용없어요."

"그럼, 네 집에서 살게 해 줘."

아저씨는 지저분한 손으로 내 두 손을 꼭 붙잡았다.

"제 집은 없어요. 그것도 아버지의 집이지 제 것이 아니에요."

"제발…"

이제 아저씨는 내 두 손을 얼굴로 가져가 비벼댔다. 내 손에 검은 물이 묻은 것을 보자 헛구역질이 나왔다. 그러고 보니, 아까 전까지는 그렇게 욕을 해대고서는 갑자기 비굴하게 태도가 바뀐 것에 나는 순간 짜증이 솟구쳤다. 여기에 더 이상 있고 싶지 않았다. 나는 오물이라도 만진 사람처럼 매몰차게 손을 뿌리치고 집에서 나와 차로 향했다. 아저씨는 나를 쫓아와 차의 창문을 두들겼다. 창문은 금세 검은 물로 지저분해졌다. 나는 모두 무시하고, 시동을 걸어 출발했다. 아저씨는 뒤에서 나한테 고래고래 소리를 질렀다.

"난 여기서 살 거야! 살 거라고! 바퀴에 펑크나 나서 사고나 나버려라! 그래야 내 입장을 이해할 수 있겠지!"

또 저렇게 태도를 바꾸는 것 봐. 좋아하려야 좋아할 수가 없는 인간이다. 아, 그렇다고 저 아저씨를 저대로 방치할 수도 없는 노릇이었다. 내가 아저씨보다 경제력이 좋으니까 정말 도와주기라도 해야 되는 건지… 나는 골치가 아파왔다. 할아버지가 원망스러울 정도였다. 왜 저런 아저씨를 가까이 둬서 나까지 피해를 보게 만드는 건지. 흥분한 나는 엑셀을 꾹 밟았다. 빠르게 바퀴가 미끄러지고 핸들은 차선을 변경하느라 쉴 틈이 없었다.

22

원고를 검토해달라고 제출한 출판사에서는 2주 후에도 아무런 연락이 없었다. 답답했던 나는 출판사에 전화를 걸었다. 여자 직원이 전화를 받았다. 여직원은 보내준 글은 잘 읽어보았다고 했고, 나는 출판할 생각은 없냐고 단도직입적으로 물어보았다. 출판사 직원은 이렇게 대답했다.

"상을 탄 이력이나 이쪽으로 특별한 경험이 없으셔서 책을 내기 어려울 것 같아요. 원고를 보내주신 건 감사드리고, 앞으로도 저희 출판사에 많은 관심 부탁드려요."

난 총 출판사 세 곳에 원고를 보냈었는데, 세 곳 모두 위와 비슷한 말을 하며 출판을 거절했다.

몸에 힘이 쭉 빠져나가는 기분이었다.

나는 내키지 않았지만 더 이상 다른 수가 떠오르지 않아, 어쩔 수 없이 황현과 의논하기 위해 토요일, 강원도 동굴을 찾았다. 어둑해지니 어김없이 황현이 자전거를 타고 나타났다. 띠링 띠링, 경적소리를 울리면서. 나를 본 황현은 자전거를 세웠다. 오늘도 하얀 티셔츠와 반바지 차림이다.

"이야기를 완성시켰나요?"

황현은 안경 속의 눈을 커다랗게 뜨고 나를 보았다.

"네. 출판사에 넘겼어요."

"책은 언제 나오기로 했나요?"

"그게 문제에요. 여러 곳에 원고를 보냈는데, 전부 책을 내기 어렵다고만 하네요."

"그렇군요. 예상은 했었는데, 역시나 군요… 당신이 글을 못 쓴 건 아닌가요?"

"전 정말 최선을 다 했어요."

"일단, 그 이야기를 나한테 좀 주시겠어요? 내가 한 번 검토해볼게요."

나는 혹시 몰라 글을 뽑아왔다. 황현은 엎드려서 물 쪽으로 손을 뻗어 물을 얼리고는 내 쪽으로 걸어왔다. 나는 그에게 이야기가 적힌, 두터운 종이다발을 넘겼다. 그는 종이다발을 대충 훑어보고서는 내게 말했다.

"시간이 걸릴 테니깐, 내가 읽어보고 연락을 줄게요. 번호가 어떻게 되죠?"

나는 핸드폰 번호를 말해주었다. 황현은 받아 적지 않고 외울 수 있다고 했다. 내게 번호를 읊어서 확인도 받았다. 문득,

할아버지를 처음 만났을 때 번호를 불러줬던 기억이 새록새록 떠올랐다.

"그럼, 연락드릴게요."

황현은 싱긋 웃으며 한 손은 종이다발을 들고, 한 손은 자전거를 운전하며 구멍으로 들어갔다. 이상하게 조금 찜찜한 기분이 들었지만 그건 내가 황현이라는 사람을 썩 좋아하지 않아서 그럴 것이다. 뭐, 이제 어떻게든 해결이 되겠지, 하고 안심한 나는 차로 돌아와 집으로 갔다. 걱정이 해소된 나는 아무 생각 없이 씻고 안락한 침대에서 깊은 잠 속으로 빠져 들었다.

그런데, 한 달이 지나도 황현에게선 연락이 없었다.

할아버지 때처럼 내 번호를 잊어버린 것은 아닐까, 하여 토요일에 강원도 동굴로 찾아갔었다. 하지만 황현은 나타나지 않았고, 다음 주도, 그 다음 주 토요일에도 나타나지 않았다. 동굴에서 아무리 외쳐보아도 아무런 대답이 없었다. 더 이상 동굴에는 자전거 경적소리는 울리지 않았다. 어떻게 된 일인지 몰라 나는 어리둥절했다. 연락도 없고, 동굴에도 없고, 도대체 어디로 간 거지?

검토하는 데 시간이 오래 걸리는 걸까. 이상하다는 생각을 하긴 했지만 나중에라도 연락 하겠거니, 하고 황현에 대해 나는 별 생각하지 않았다.

그동안 다른 출판사에도 원고를 보내보았지만 소용이 없었다. 도대체 뭐가 문제인걸까? 글을 계속 읽어보았지만 아무리 봐도 내 눈에는 문제점이 보이지 않았다. 분명히 내 스스로 정직하고,

솔직하고, 단순하고 진실 되게 썼다고 생각한다. 있는 그대로 쓰려고 노력했다. 나는 답답했다. 책을 내는 것을 포기해야 할까. 이대로 완성한 것에만 만족해야 하나, 나는 고민했다. 책을 출판하면 할아버지가 볼 수 있을 지도 모르는데… 어찌해야 할 지 모르겠다. 정말 이제 더 이상 무엇을 어떻게 해야 할지 모르겠다. 내키지 않지만 명석한 황현도 연락이 없고, 출판이나 소설 쪽에는 아예 문외한이고, 이런 일로 물어볼 만한 사람도 주위에 없었다. 나는 황현의 연락을 계속 기다리는 수밖에 없었다. 게다가 난 서서히 지쳐가고 있었다.

쳇바퀴 돌 듯 하루하루는 흘러갔다. 일상은 시시하고 조용한 것으로 가득 찼다. 내 안에서 권태가 다시 머리를 빼꼼 들고 인사하는 것을 느낄 수 있었다.

'잘 지냈니? 난 항상 이 자리에 있었어, 네가 찾으면 난 언제라도 발견할 수 있단다.'

그것이 나타났다는 것을 내가 스스로 인지한 순간, 그 감정은 살아있는 생선처럼 팔딱팔딱 대면서 내 온 정신을 휩쓸고 다녔다. 이전보다 더 강력한 권태감이었다. 하긴, 근래 들어서 많은 일이 일어났다가 다시 심심한 일상으로 돌아왔기에 심해질 수밖에 없었다. 정말이지 모든 것이 재미가 없어졌다. 먹는 것도, 일하는 것도, 누군가를 만나는 것도, 책을 읽는 것도, 숨 쉬는 것도 전부…

권태가 머리를 들이밀고, 날이 계속 흘러갈수록 권태는 내 몸과 정신을 차지해버렸다. 정말 미쳐버릴 것 같았다. 하루하루가 숨이 막혔다. 권태감이 눈에 보이는 물체라면 얼마나 좋았을까. 나는 권태감을 몸속에 있는 하나의 장기라고 생각하고, 칼로 내 배를 스스로 갈라 배 안으로 손을 깊숙이 집어넣어 팔딱거리는 권태감을 움켜져서 빼내버리는 상상을 하곤 했다. 갈기갈기 찢고, 주먹으로 꽉 쥐어서 터뜨리기도 했다. 하지만 현실 속 나는 아무 것도 할 수 없다. 더 이상 그것을 없애기 위해 할 수 있는 일은 아무 것도 없었다. 이것저것을 해도 해답이 없다. 그냥 침대에 누워 마음 속 권태가 커져가는 것을 느끼며 하얀 천장만 바라볼 뿐… 할아버지의 말대로다. 권태는 내가 죽을 때까지 없어지지 않을 것이다.

그렇게 두 달 후, 내게 경악을 금치 못 할 일이 벌어졌다.

그 날. 나는 평소처럼 회사에 30분 일찍 출근해서 아무 표정 없이 책상을 정리하며 일할 준비를 하고 있었다. 오늘 아침에도 어김없이 회사에서는 클래식이 울려 퍼지고 있었다. 우리 회사는 출근시간이 9시까지인데, 다른 회사와 달리 특이하게 8시부터 잔잔한 클래식을 방송하였다. 업무에 효율성을 높여준다는 연구 결과가 있다나 뭐라나. 그렇다고 곡을 다양하게 틀어주는 것도 아니었다. 비발디의 봄의 왈츠나 kiss the rain 같은 특정한 곡만 지겹게 번갈아가며 방송했다. 회사에 출근한지 얼마 되지 않았을 때는 아침마다 틀어주는 음악에 감미로움을 느꼈지만, 귀에 딱지가 앉게 들어서인지 이젠 별 감흥이 없었다. 내 옆자리는 후배의 자리인데, 후배는 옆구리에 책을 끼고 나타났다. 후배는 책벌레였다. 나는 요새 책을 읽지 않았다. 책 읽을 마음이 아예 들지 않았다.

"선배님! 좋은 아침이에요! 아, 이제 슬슬 더워지네요. 에어컨은 언제 틀어주려나?"

후배는 기분이 좋은지 방송에 나오는 비발디를 흥얼거리며 싱글벙글 웃었다.

"무슨 일 있어? 기분 좋아 보이네?"

"네. 오랜만에 정말 대단한 책을 봤거든요. 이 작가는 천재에요. 한 번 더 읽으려고 회사에 가져왔어요."

"쉬는 시간에 읽어. 괜히 상무님한테 걸리지 말고. 오전시간에 여기로 자주 내려오시는 거 알지?"

"네!"

후배는 책을 책상 위에 올리고 데스크탑과 모니터의 전원을 켰다.

"선배님도 한 번 읽어보실래요?"

활짝 웃는 후배의 모습에 도대체 무슨 책이기에 저러는지 궁금해진 나는 책 좀 한 번 보게 내게 달라고 말했다. 후배는 선뜻 책을 건네주었다. 책 표지는 새하얀 색에 검은 점 하나만 똑 찍혀있었다. 책의 제목은 「점의 비밀」이었다. 점? 그립고 익숙한 단어네. 점의 비밀이라.

흥미가 생긴 나는 표지를 넘겨 목차와 내용을 대충 훑어보았다. 먼저, 짧은 이야기를 들려준 다음, 자신의 관점에서 설명하고, 과학을 토대로 주장을 말하는 내용인 것 같았다. 작가는 맺음말에 이 책으로 천문학의 발전을 기대할 수 있을 것이라는 결론을 내리고 있었다. 다시 처음으로 돌아가 이야기를 읽어 보았다. 이야기는 동화같이 시작되고 있었다.

'오랜만에 책을 내 감개무량합니다. 나는 오래전에 야심차게 준비해서 「우주 속의 원과 운동」이라는 책을 낸 적이 있습니다. 비록 학계에서 스포트라이트는 받지 못했지만, 우주와 이 세계에 대한 연구는 결코 멈추지 않았습니다. 그 결과물로 지금부터 아주 재미있는 이야기를 하나 들려드릴까 합니다.

아주아주 먼 옛날에, 아무 것도 없는 빈 공간이 있었습니다. 아무 것도 없다고 하여 하얀 공간이라고 생각하시면 안됩니다. 하얀색도 없는, 그런 아무 것도 없는 공간입니다.

그곳에, 누가 떨어뜨려 놓은 것인지 아직 밝혀지지 않은, 검은 점이 하나 나타났습니다. 그 점의 탄생의 비밀은 아직 완전히 밝혀지지 않았지만 이 점이 우주의 시초가 된다는 것을 미리 알고 계시면 됩니다.

검은 점은 완벽한 원형이 아니라 일그러지고 뜯겨져 나간 형태였습니다. 일반적인 관점으로 봤을 때 아직 불완전한 존재라고 볼 수 있지요. 검은 점은 이제 막 탄생했기에 사람으로 치면 신생아와 같이 잠을 많이 잤습니다. 꿈도 많이 꿨지요. 훗날, 그 꿈을 기반으로 우주의 시각적 형태를 완성시킵니다. 그래서 우주는 꿈의 형태, 만져지지 않는 영상같이 존재하는 것입니다.

여기서 잠깐 짚고 넘어가야할 것은, 우리 인간은 우주에서 아주 하찮은 존재일 수도, 아니면 굉장히 중추적인 존재일 수도 있다는 것입니다. 둘 중에 하나인데, 어쨌거나 우리 사람은 우주의 '암흑물질'을 만질 수도, 세세하게 관찰할 능력 또한 없습니다. 맨 몸으로

지구 밖으로 나가면 살지 못합니다. 우리에게는 왜 이런 한계가 존재할까요?'

뭔가 예감이 좋지 않았다. 나는 집중하여 이야기를 계속 읽기 시작했다. 후배는 그런 내 모습에 자신의 말이 틀리지 않았음에 고개를 끄덕거렸다.

"선배, 이야기 재밌죠?"

과학적 설명과 의문점을 이야기와 버무리며 전개되는 내용은 마침내 점끼리 폭발을 일으켜 하나의 세계가 창조되었다는 내용까지 이르렀다. 할아버지의 이야기가 틀림없었다. 나는 떨리는 손으로 표지에 인쇄된 작가소개를 보았다. 작가의 이름은…

"황현?"

혹시나 했는데. 나는 그 두 글자에 경악했다. 그 때, 부장님이 내 옆을 지나가다 내가 책을 읽고 있는 것을 보았다.

"무슨 책을 그렇게 읽고 있나?"

부장님은 내게 책을 달라고 했다. 나는 멍하니 충격을 먹은 상태에서 책을 건네주었다. 후배는 부장님이 역정을 낼까봐 울상이었다. 부장님은 내가 건네준 책을 보고 반가워했다.

"아! 이 책 나도 읽어봤어. 나오자마자 읽었는데 굉장하더라고. 꼭 읽어봐. 지금 그거 때문에 난리야. 과학계에서 혁명이 올거라고 하던데. 이 책이 실마리가 돼서 우주의 비밀이 밝혀질지도 모른다고. 특히 암흑물질 말이야. 이 작가가 원래 이쪽 분야 박사이긴 한데, 너무 엉뚱해서 한동안 무명이었다고 하더라고. 그 엉뚱함이 시대를 앞서간 천재성이었다니. 역시 천재는 한참 후에나 인정받게 되는 건가봐. 그런 점에서 자네들도 지금 꾸준히 열심히 한다면 언젠간 인정받을 수 있을 거야."

부장님은 다시 내게 책을 주고 자리에 앉았다. 후배는 다행이라는 듯 숨을 크게 내뱉고는 내게 소곤소곤 말했다.

"다른 책이었으면 엄청 뭐라고 했을 거예요. 십년감수했네."

나는 화가 치밀었다. 이게 어떻게 된 일이지? 뒤통수를 방망이로 세게 맞은 것처럼 얼얼하여 머리가 회전되지 않고 멍해졌다. 여전히 회사에는 감각적인 피아노의 선율이 울려 퍼지고 있었다.

"선배, 왜 그러세요? 부장님 자리에 가셨어요. 괜찮아요, 이제."

후배는 나를 물끄러미 쳐다보았다. 아무 말도 귀에 들리지 않았지만, 쇼팽의 녹턴만은 음 하나 하나가 귀를 통해 내 마음 깊숙이 울리고 있었다. 나는 녹턴이 이렇게 애절하고 슬픈 음악인지 미처 몰랐다… 내가 열심히 할아버지의 이야기를 듣고, 썼던 장면들이 눈앞에 빠르게 스쳐지나갔다. 음악이 절정에 다다를 때, 동굴에서 내 이야기를 건네받고 싱긋 웃던 황현의 모습이 떠올랐다.

'내가 한 번 검토해볼게요.'

황현이 그 이야기를 가져가서 자신의 이름으로 책을 냈어… 나는 배신을 당한 건가? 황현이 어떻게 그럴 수 있지? 그건 내 이야기이고 내 이름으로 책이 나왔어야 했던 건데… 할아버지가 이야기를 써달라고 부탁하며 내게만 들려준 이야기인데… 내 생일파티 때 친구들이 호텔 방에서 몰래 관계를 맺고 있던 것을 발견했을 때보다 더 큰 충격이었다. 나는 손이 부들부들 떨렸다. 이야기를 쓴 것만으로 만족하자는 내 의의는 완전히 짓이겨져버렸다. 할아버지와 함께 했던 시간, 내가 그 이야기에 끙끙 대며 노력했던 시간들이 아무 것도 아닌 것이 되어버렸다.

황현을 당장 만나서 따지고 싶었지만 어디서도 그를 볼 수 없었다. 주소, 이메일, 번호 등 그에 대한 것을 나는 아무 것도 모른다. 책에 있는 작가 소개란을 봐도 짤막한 설명뿐이었다. SNS도 없었다. 이미 그는 종적을 감춘 지 오래였다.

배신감에 나는 화로 가득 차 금방이라도 돌아버릴 것 같았다. 속은 부글부글 끓는 화로 쓰라렸다. 할 수만 있다면 가슴을 찢어서 불같은 화를 내던지고 싶었다. 하지만 감정은 손에 잡을 수 있는 물체가 아니다. 통제를 하기가 힘들다. 나는 참지 못하고 자리에서 일어나 회사를 나왔다. 나왔지만 이제 어디로 가야 할지, 무엇을 해야 될지 모르겠다. 누구를 믿어야 할지도 모르겠다. 나는 나도 모르게 황현을 아주 많이 믿었었던 것 같다.

도로에 달리는 차들은 각자의 목적지를 향해 무심하고 빠르게 지나다녔다. 깔끔한 복장의 사람들은 출근 시간에 늦을까봐 열심히 뛰어가고 있었다. 상쾌한 클래식이 들리던 회사와는 반대로 길가에서는 구두 소리, 자동차의 클랙슨과 브레이크를 밟는 소리, 시내버스의 문이 열고 닫히는 소리, 택시를 급하게 부르는 소리, 거래처와 통화하는 소리, 도시락과 김밥을 판매한다는 소리가 여기저기서 시끄럽게 튀어나왔지만 내 귀에는 아무 것도 들리지 않았다… 난 이미 지금 이곳에 있지 않았다. 어디 있는지 잘 모르겠다. 난 어디에 있는 걸까? 이곳은 어디일까? 나와 똑같은 몸을 가진 사람들이 저렇게나 정신없이 바쁘게 움직이고 있는데 난 조용히 굳은 채로 멍하니 있을 뿐이다. 부드러운 음식물을 맛있게 먹다가 씹은 하나의 딱딱한 돌멩이처럼, 한순간에 이 세상에서 이질적인 물체가 되어버린 것 같은 나는 모든 것으로부터 버림받은 느낌이 들었다.

난 그냥 단지 할아버지의 부탁을 들어주고 싶을 뿐이었다. 정말 순수하게 그 이야기를 다른 사람에게도 전해주고 싶다는 마음도 있었다. 그런데…

고개를 번쩍 들자 뜨겁게 내리쬐는 태양이 보였고 나는 잠시 현기증이 나 바닥에 주저앉아야했다. 도시의 온갖 소음으로 머리가 울려 어지러웠고, 눈앞이 캄캄해졌다.

23

직장이라도 없었으면 나는 폐인으로 살았을 것이다.

황현에게 연락을 해보기 위해 「점의 비밀」을 출간한 출판사에도 전화를 걸어보았지만, 작가의 개인 정보는 알려줄 수 없다고 했다. 나는 황현과 접촉해서 따지는 것은 포기해야 했다.

아무리 기분이 좋지 않아도 꼬박꼬박 회사는 나갔다. 일 속에서 나는 모든 것을 잊고 감정 없는 기계처럼 주어진 일에 열중할 수 있었다. 시간을 때울 수 있다는 것은 일의 큰 장점이다. 신문, TV, 인터넷에서는 간간히 황현에 대한 기사가 떴다. 나는 그것을 보고 싶지 않았지만 무시할 수 없었다. 언론에서 시끄럽게 떠들어댔기 때문이다. 황현에 대한 소식은 어디서나 들려와 내 귓구멍에 뾰족한 창처럼 꽂혔다. 황현은 그 책으로 삽시간에 저명한 박사이자 작가가 되었다. 게다가 젊어 보이는 외모로 황현의 인기는 절정이었다. 어쩌다가 보게 된 인터뷰에서 황현은 이렇게 말하고 있었다.

"처음에 나오는 점 이야기를 어떻게 구상하게 되었냐면, 평소처럼 연구를 하다가, 자고 일어나니깐 그 이야기가 반짝 떠올랐어요. 떠오르자마자 그 날 바로 휘갈겨 써서 완성시켰죠. 다 쓰고 나서 나는 벅차오르는 감정에 '유레카!'라고 외쳤어요. 저절로 입에서 유레카라는 말이 나오던데요?"

거짓말. 황현이 거짓말을 해도 모두는 그 사람을 믿을 것이다. 대중들은 이미 맹목적이었다. 황현은 머리가 좋으니 자신의 이미지를 편집하여 자기 자신을 천재로 만들지도 모른다. 정말 이대로 가다가는 황현의 인생은 하나의 신화로 남을 것이다. 황현이 잘 나갈수록 나는 일에 매달리고 잠을 더 많이 잤다. 도피하는 것이다.

간혹 할아버지가 생각나기도 했다. 혹시 할아버지가 황현의 소식을 듣지 않았을까? 그 책을 보고 방으로 돌아오진 않았을까? 황현은 이제 할아버지가 돌아오는 말든 상관하지 않을 테지.

날씨는 빠르게 무더워지고 있었다.

한 달이 지나고, 생일 일주일 전 토요일, 오랜만에 어머니가 집으로 찾아왔다. 정원관리사 아저씨도 함께였다. 아저씨는 두 손 가득 장바구니를 들고 있었다.

"작년 생일은 내가 경황이 없어서 못 챙겨줬다. 미안해."

어머니는 이 말을 하고 바로 주방으로 가서 장바구니에서 재료를 꺼내 요리를 하기 시작했다. 정원관리사 아저씨도 주방으로

가 어머니를 자상하게 도와주었다. 그런 아저씨를 보고 어머니는 잔잔한 웃음을 지었다. 어머니라도 행복해보여서 다행이었다. 어머니는 요리를 하는 데 한 시간정도 걸릴 것이니 방에 올라가있으라고 했다. 나는 2층으로 올라가 의자에 앉아 잠시 생각에 잠겼다.

벌써 내 생일이구나. 이제 생일을 생각하면 할아버지를 보았던 기억만 강하게 남아있다. 할아버지는 돌아왔을까? 황현이 책을 낸 후, 나는 그 집에 다시 가지 않았다. 그 곳에 가면 내가 황현에게 당했다는 사실만 다시 떠올라 힘들어할 것이 뻔했기 때문이다. 또, 그 집에 있을 워리 아저씨도 보기 싫었다. 나는 좋은 기억만 남기고 나쁜 기억은 몰아내려고 노력했다. 노트북을 켜서 아직 바탕화면 한 구석에 자리 잡고 있는 '황 할아버지'라는 이름의 문서 파일을 클릭해서 열어보았다. 내가 썼던 문장들이 나열돼 있었다. 이야기를 타자로 쳤을 때, 기분이 좋았던 기억이 새록새록 떠올랐다.

그래, 나쁜 기억은 다 잊어버리자. 할아버지를 만나고, 이야기를 듣고 쓴 것에 만족하자고 다시 굳게 마음먹었다. 솔직히 말하자면 내 자신을 속이는 것이다. 하지만 지금 내겐 자기기만이라도 필요했다. 마침, 밖에서 어머니의 소리가 들려왔다. 나는 노트북을 끄고 문을 열고 1층으로 내려왔다. 식탁에는 푸짐하게 한 상 차려져 있었다.

나는 내가 좋아하는 전복 구이부터 젓가락으로 집어 입에 넣었다. 고소하고 쫄깃한 식감이 나를 짜릿하게 했다. 얼마 만에 이렇게 먹어보는지 가늠이 가지 않았다.

"많이 먹어라. 일이 그렇게 바쁘니? 주말에도 집에 있으면서 왜 만나자고 하면 바쁘다고 그래?"

어머니는 간간히 내게 연락을 해서 새로운 남편과 같이 밥을 먹자고 했다. 나는 바쁘다고 하면서 결혼식 이후 한 번도 어머니와 새로운 남편을 보지 않았다.

"오늘은 잠깐 시간이 나서 집에 있는 거예요. 잘 먹을게요."

난 연어샐러드를 먹고 갈비를 하나 집어 뼈에 붙어있는 살을 뜯어 먹었다.

"갈비는 아저씨가 사온 거야. 아저씨가 갈비를 좋아해."

어머니는 살며시 웃으면서 자신의 옆에 앉은 정원 관리사 아저씨를 바라보며 말했다. 아저씨는 나를 보며 헤실헤실 웃었다.

"많이 먹어. 종종 밖에서 같이 맛있는 거 먹자."

아저씨의 자상한 말에 나는 일단 예의상 알겠다고 했다. 가만히 지켜보니, 아저씨와 아버지는 많이 다른 사람인 것 같다.

어머니는 한 달 후에 꽃집을 연다고 했다. 아저씨 덕분에 식물에 대해 더 많이 알게 되었고, 자신이 완전히 바뀌었다고 했다.

"그 땐 내가 왜 그렇게 식물을 많이 죽였는지 모르겠어. 바보같이. 내 손 끝에 사악한 기운이라도 있었나."

어머니는 그런 말을 하면서도 싱글벙글 웃었다. 아저씨는 그런 어머니를 보고 손을 올려 귀엽다는 듯이 볼을 꼬집었다. 영락없는 신혼부부였다.

"아, 그러고 보니 정원이 아주 엉망이던데, 관리를 아예 안 했니?"

"별로 관심이 없어서요."

어머니가 떠난 후 정원은 방치되었다. 아예 생각치도 못했다. 그럴 틈도 없었고.

"그럼 안 되지. 정원은 사람과 마찬가지로 항상 관리를 해줘야 돼. 밥 먹고, 내가 관리 좀 해주고 갈게."

아저씨가 말했다. 나는 마음대로 하시라고 했다.

처음에는 어머니가 와서 얼떨떨했지만, 이렇게 오랜만에 마주 보고 맛있는 것을 같이 먹어서 기분이 좋아졌다. 한동안 다운되어있었던 나에게 상쾌한 활기를 불어넣어준 것이다. 밥을 다 먹은 후, 어머니는 설거지를 하고, 아저씨는 그런 어머니를 도왔다. 나도 함께 거들었고, 다 치운 후 우리 셋은 같이 정원으로 나왔다. 나는 집에 있으면서도 정원을 눈여겨보지 않았는데, 오랜만에 본 정원은 무성하게 자란 잡초로 가득했다. 용케도 몇몇 식물은 꽃을 피운 것도 있었다. 습도가 높은 정원에 가끔 선선한 바람이 불기도 하여 시원했다. 식물에선 차가운 공기가 나오는 것 같았다.

정원을 둘러보다가 어머니는 무언가를 보고 깜짝 놀라워했다. 그건 어머니가 관리하던 곳에 있던 선인장이었다. 예전에 죽지 않고 꽃을 피운 선인장이 있다고, 어머니가 내게 한 번 보라고 했던 그 선인장이었다.

"어머, 아직도 살아있다니!"

아저씨는 이 선인장의 이름은 '자태양'이라고 했다. 녹두색과 자주색이 섞인 동그란 선인장이었다.

"건희야, 그 때 여기서 핀 꽃 봤지? 너무 예쁘지 않았니? 그

꽃을 보고 내가 얼마나 감동했었는데."

어머니는 가시가 아프지도 않은지 선인장을 손가락으로 쓰다듬었다.

"보면 볼수록 선인장은 정말 매력적이야. 생긴 것은 꼭 남자의 그것처럼 투박하게 생겼는데, 생명력이 아주 질기고, 꽃피는 것을 보면 정말 기적이 일어난 것처럼 감동을 줘. 이런 선인장에서 꽃이 나오는 게 말이 되니?"

아저씨는 어머니가 사랑스럽다는 듯 어머니를 뒤에서 팔로 감싸 안았다. 어머니는 감싸 안은 팔을 손으로 잡으며 활짝 웃었다. 그 웃음을 본 나는 놀랐다. 어머니가 저런 웃음을 지은 적이 있었나. 어머니가 이때까지 알고 있던 사람이 아닌 처음 보는 낯선 사람처럼 느껴졌다.

아저씨는 물을 언제 주고, 가지를 어떤 방식으로 쳐야하는지, 간단한 관리 방법을 내게 알려주었다. 정원을 돌아다니다가 우리는 다시 집으로 돌아와서 어머니가 사온 조그마한 생크림 케이크와 함께 차를 마셨다. 시간이 지나고, 그 사이 좋은 부부는 또 오겠다고 말하고선 그들의 집으로 돌아갔다. 내게 생일 축하한다는 말을 남기고서.

나는 오랜만에 은근한 기쁨을 느끼며 잠에 들 수 있었다.

다음 주, 생일날 아침이 밝았다. 올해 생일은 금요일이었다. 작년에도 그랬던 것처럼, 올해도 파티를 안 하냐는 연락이 많이 왔다. 그 연락에 나는 당분간 할 생각이 없다고 일일이 대답해주어야 했다. 내년에도 이러면 아예 답장을 하지 말아야지. 내가 여는 파티는 특별하고 재미있는데, 파티를 하지 않아서 아쉽다고 말하는 사람이 많았다.

나는 평소보다 한 시간 늦게 회사에 출근했다. 우리 회사는, 생일 에 출근하는 사람은 한 시간 늦게 출근할 수 있는 복리후생이 있었다. 아침에 여유롭게 미역국을 먹고 출근하라는 의미라고 한다. 좋은 복리후생이라는 생각이 들지만, 혼자 집에서 사는 나로선 썩 달갑진 않았다. 혼자 있으니 아침을 잘 챙겨먹지 않게 된다. 오늘도 밥은 안 먹고 잠을 평소보다 삼십 분 더 잔 후 출근했다. 출근하자마자 폭죽이 요란하게 터지고 하얀 생크림 케이크가 눈앞에 보였다. 회사 동료들이 깜짝 파티를 열어준 것이다. 그것이 고마웠던 나는 점심에 피자를 시켜서 직원들과 회의실에서 나눠먹었다. 그리고 두둑한 배로 일을 하고 퇴근을 했다. 책벌레 후배는 내가 퇴근할 때, 생일 선물이라면서 책을 한 권 건네주었다. 다행히 황현 책은 아니었다. 그렇게 별일 없이 생일은 조용히 흘러가고 있었다.

집으로 돌아오는 길에 할아버지 집에 잠깐 들려볼까, 생각했다. 7시 20분이었다. 황현이 뒤통수를 쳤지만 시간이 어느 정도 흘렀고 나도 그 기억을 잊어버리려고 노력한 덕에, 감정은 어느 정도 낮게 가라앉아 있었다. 갈까 말까 고민을 하고 있는데, 전화 벨소리가 울렸다. 화면을 보니 발신번호표시제한이라고 떠있었다. 나는 차를 갓길에 세우고 전화를 받았다.

“잘 계셨나요?”

남자의 목소리였다.

“누구세요?”

"황현입니다."

나는 가슴이 덜컹거렸다. 가라앉은 감정은 다시 위로 떠올라 나를 고통스럽게 했다. 배에서부터 목구멍까지 쪼이는 느낌이 들었다. 나는 조용히 입을 다물고 황현이 다음 말을 하기를 기다렸다.

24

“2년 전 7월 4일이 우리가 처음 보던 날이죠?”

“잘 기억하고 있네요. 그러면서 제 전화번호는 그 때 까먹으셨나요?”

나는 조금씩 부들부들 떨려왔다.

“지금 전화했잖아요. 약속 지켰습니다. 나는 기억력이 좋아서 잘 까먹지 않아요.”

“차라리 영원히 까먹고 계시지 그랬어요. 왜 내 이야기를 훔쳤어요? 원인을 따지는 걸 좋아하시는 분이니, 그 원인을 제게 상세히 좀 말해보세요.”

나는 눈을 감고 마음을 최대한 진정시키면서 차분하게 물어보았다. 하지만 말소리가 떨리는 건 어쩔 수 없었다. 황현에게는 감정적으로 대해서는 안 된다. 나만 힘들어진다.

"훔친 것이 아니죠. 난 참고했을 뿐이에요."

"참고했다고요?"

"내가 쓴 책을 봐도 알겠지만, 당신의 이야기는 하나도 하지 않았어요. 내 아버지의 이야기를 보고 참고한 것뿐이에요."

"이제 와서 도대체 나한테 왜 전화한 거죠?"

"약속했잖아요. 내가 연락한다고. 그리고 고맙다는 말을 하고 싶었어요. 당신이 쓴 글을 통해 아버지의 이야기를 볼 수 있었고, 당신의 생각도 조금은 참고하여 내 연구 성과를 어느 정도 선까지 끌어올릴 수가 있었어요. 역시, 풀리지 않을 때는 아무것도 모르는 사람의 의견도 참고하는 것이 현명한 선택이더군요."

"말조심해. 당신은 참고한 것이 아니라 훔친 거야. 내 생각과 할아버지의 생각을 훔쳤다고. 허락도 없이."

나는 이제 점점 이성을 잃어갔다.

"아니요. 내 생각엔, 내가 당신의 이야기를 손에 받아 그걸 읽어보았을 때, 아버지가 나를 위해 당신에게 이야기를 들려준 것 같다는 생각이 들더군요. 어쩌면 아버지는 내가 자신의 동굴 옆에서 연구를 하고 있다는 사실을 알고 있었던 것 같아요. 마침 당신이 동굴로 찾아와 나를 봤고, 무모하게도 당신은 동굴 끝으로 가 내 아버지도 만났죠. 아버지는 당신에게 이야기를 들려준 후, 써달라고 부탁했어요. 당신은 궁금한 것을 참지 못하고 다시 동굴을 찾아가 내가 아버지의 아들이란 것도 알게 되었어요. 당신은 아버지가 사라진 후 이야기를 썼지만, 역부족이었기 때문에 아들인 내게 찾아왔고 그 이야기를 건네주었죠. 인정하기 싫지만, 아버지는 사람을 정확하게 꿰뚫어 봐요. 당신에게 부탁하면, 부탁을 들어주리라는 것을 아버지는 확신했을 것이에요. 그래서 당신에게 그 이야기를 들려준 것이죠. 그 이야기를 아들인 나한테 전해주기 위해… 아직도 이 모든 것이 전부 우연이라고 생각하나요? 내가 말했죠, 결과에는 항상 원인이 있다고."

"아니, 아니야. 이상한 억지 부리지 마. 당신한테 유리한 쪽으로 지어내고 있는 거 다 알아. 추측일 뿐이잖아. 이 모든 것이 할아버지의 계획이었다고? 할아버지는 그렇게 계산적인 사람이 아니야."

나는 황현의 말에 와르르 무너지고 있었다. 할아버지가 나를 이용하지 않았을 거야. 설마… 이건 황현의 완전한 억지 논리다.

"그래, 내 의견이 억지라고 해도 당신한테는 이야기에 대한 소유권이 없어요. 오히려 아들인 나에게 더 소유권이 있으면 있었지, 당신은 타인에 불과해요. 그 이야기가 당신 것이라는 계약서라도 작성하지는 않았잖아요? 당신이 이렇게 나올까봐 전화하기를 꺼렸었는데, 그래도 감사의 인사는 꼭 하고 싶어서 전화했습니다."

"할아버지는 내가 그 동굴로 찾아갈 것이라는 걸 몰랐을 거 아니야. 그러면 당신의 억지 논리는 성립하지 않아."

"뭐, 어떻게 됐든 간에, 결과는 내가 그 이야기를 가졌다는 거고, 그걸 모든 사람이 알고 있다는 겁니다. 게다가 그 이야기는 당신보다 내게 더 쓸모 있어요. 당신은 당신의 이야기를 아주 잘 썼더군요. 하지만 개인의 이야기에 불과했어요. 난 당신과는 달라요. 사회의 발전을 위해 책임감을 가지고 그 이야기를 살려야만 했죠. 당신보다 경험과 지식을 많이 가지고 있고 이야기를 더 잘 이용할 수 있는 내가 책을 내는 것이 옳은 일이었어요. 당신이라면 영원히 그 이야기는 묻혀 버렸겠죠. 당신의 이야기에는 답이 없어요. 사람들은 불확실한 것을 두려워하고 싫어해서, 책을 보며 답을 찾으려고 하죠. 답이 있는 책들은 잘 팔리고, 그래서 출판사들은 그런 책을 출판하고 돈을 벌어들여요. 지금 현실에서 돈을 벌지 않으려는 출판사가 있나요? 출판사뿐만 아니라 어디에서도 그런 회사는 없어요. 돈을 벌지 않으면 먹고 살 수 없기 때문이에요. 나는 그런 점도 이용할 수 있었죠. 그래서 내가 책을 낼 수 있었던 것이고, 책으로 낸 이익은 오롯이 내 연구비용으로 사용됩니다. 덕분에 동굴에 있던 연구실을 아주 좋은 곳으로 옮길 수 있었어요. 거기서 새로운 마음으로 다시 연구를 이어갈 것이고, 그 연구는 또 사람들에게 도움을 줄 수 있겠죠. 사회와 문명에 기여하는 겁니다."

"도움? 기여? 솔직히 말하면 당신의 명예를 위해서겠지. 난 내가 쓴 이야기에 후회가 없어. 한 치의 거짓도 없으니깐. 확실한 답? 세상에서 확실한 답은 존재하지 않다는 걸 똑똑한 당신도 잘 알 텐데. 답이 없는 걸 아는데 책을 팔기 위해 답이 있다고 거짓으로 쓰고 싶진 않아. 그건 나 자신과 모두를 기만하는 일이야. 당신은 모두를 속였어."

"저기요, 당신이 아무리 진실해도 대중들은 몰라요. 진실은 당신한테만 유효한 거예요. 융통성을 좀 가져 봐요. 당신은 그것이 필요해. 아, 지금 가져 봤자 어차피 늦었지만."

핸드폰으로 들려오는 황현의 목소리는 처음부터 끝까지 자신만만했다. 최근에 낸 책으로 명예도 가져서 그런지 이전보다 한 층 더 의기양양했다.

"할아버지가 돌아오면 당신을 용서하지 않을 거야."

"아버지는 아마 돌아오지 않을 거예요. 영원히. 아버지의 나이를 아시잖아요?"

"당신은 모순과 위선으로 가득 차있어. 자기 논리에 갇혀있다고. 분명 당신은 할아버지의 이야기가 쓸데없다고 말했었잖아. 내 느낌이 맞았어… 처음 당신을 만났을 때부터 뒤틀리는 느낌을 받았는데…"

황현은 내 말은 가볍게 묵살한 채, 다시 한 번 감사하다는 말을 하고 바쁘다며 전화를 툭 끊어버렸다.

황현의 말을 믿고 싶지 않았지만 이미 들어버린 후라 무시할 수 없었다. 그 말이 사실이라면… 아니야, 할아버지가 날 이용했을 리 없어. 이건 말도 안 돼. 아예 생각할 가치도 없어. 잊어버리자. 할아버지는 돌아올 거야. 돌아와서 모든 걸 밝혀줄 거야. 어쩌면 오늘은 우리가 처음 본 날이니 지금 가보면 돌아왔을 지도 몰라. 비록 내가 아니지만, 황현이 할아버지의 이야기를 담은 책을 낸 것도 봤을 거야. 그 책을 봤으면 돌아왔을 거야.

나는 한 자락 희망을 가지고 간신히 정신을 차린 후, 할아버지의 집으로 향했다.

25

나는 차에서 내리자마자 허공에 할아버지를 불렀다.

"할아버지!"

열려져 있는 대문을 열고, 현관문도 열었다. 나는 크게 할아버지를 불렀다. 그 소리에 2층에서 누군가 계단으로 내려오는 소리가 들렸다. 맨발이 보였다. 이젠 정말 할아버지가 돌아온 것일까? 가슴이 두근거렸다. 계단으로 천천히 무릎이 보이고, 배와 손이 보이고, 이제 얼굴이 보였다.

"애송이?"

워리 아저씨였다. 나는 실망하여 온 몸에 힘이 쫙 빠졌다. 그리고 한숨을 내뱉자, 내 안에 있는 어떤 줄이 힘없이 뚝, 끊어졌다. 스무 살 생일 파티에서 사람들에게 뒤통수를 맞았을 때와 같은 느낌이었다. 계속 내 안에 무슨 줄이 끊어지는 거지? 내 눈은 전원이 나간 기계처럼 잠시 초점을 잃었다. 이제 할아버지가 돌아올 것이라는 희망은 거짓 희망이라는 걸 나는 인정해야 했다. 2년이나 흘렀고, 할아버지의 이야기가 전국에 퍼져도 할아버지는 돌아오지 않기 때문이다.

"애송이?"

워리 아저씨는 내 어깨를 잡고 흔들었다. 한참 후, 나는 정신이 돌아왔다.

"아저씨, 할아버지는 안 계세요?"

"없지. 안 돌아오시려나."

난 놀랐다. 오랜만에 본 워리 아저씨는 저번보다 옷차림이 깨끗하고 정신도 한결 안정돼보였기 때문이다. 모든 것을 초월한 도인과도 같았다. 담배 냄새도 덜 났다. 완전히 다른 사람처럼 보여 깜짝 놀랄 수밖에 없었다. 무슨 일로 이렇게 사람이 갑자기 바뀌었지? 죽을 때가 되면 다른 행동을 한다는데. 살아있는 시체 같았던 사람이 이렇게 멀쩡해지다니. 깨끗한 아저씨의 모습에 나는 숭고하다는 생각까지 들어 마음이 정화되는 느낌이었다. 워리 아저씨는 2층으로 올라오라고 했다.

아저씨는 계단이 부서질세라 사뿐사뿐 올라갔다. 나는 계단을 올라가면서 시선이 1층의 주방에 꽂혔다. 식탁 위에는 먹다가 만 음식과 밥이 있었다. 꽤 푸짐한 상차림에 놀랐다. 아저씨가 겉모습이 바뀐 것이 아니라 이제 음식을 차려 먹을 만큼의 돈까지 버는 건가? 우리는 올라가 2층의 방문을 열었다. 방은 그대로였다. 창 밑에 윤기가 났던 고무나무가 없어진 것 말고는.

"선생님은 이제 안 오실 것 같아. 그만 포기해."

아저씨는 내 오른쪽 어깨에 손을 올리며 말했다. 나는 힘없이 의자에 주저앉았다. 반달 모양의 책상 위에는 글이 써져있는 종이들과 펜이 보였다. 살며시 보니, 어떤 이야기가 써져있었다. 글씨는 의외로 반듯하고 깨끗했다.

"아저씨, 소설 쓰고 있는 거예요?"

"응. 소설이라 해야 할지, 수필이라 해야 할지. 일단 쓰고 싶어서 아무거나 끼적이고 있어."

아저씨가 쓰는 소설이라니, 나는 흥미가 생겨 종이를 들어 자세히 보았다. 글씨는 또박또박 썼지만, 정작 내용은 엉망이었다. 자신만이 알아들을 수 있는 어려운 암호 같은 문장들과 계속 자기 내면을 바라보며 그것을 부정적으로 서술하고 있었다. 자신이 아주 철학적이고 현학적인 것처럼 꾸며내 보여 읽기 거북했다. 할아버지가 아저씨한테 욕심을 부리지 말라고 다그쳤던 이유를 알 것 같았다.

"이거 혹시 책으로 내실 생각이에요?"

나는 아저씨한테 넌지시 물어보았다.

"응. 보니깐 요즘 그런 무언가 있는 것 같은 심오한 내용이 문학상을 받던데? 나도 상을 받아 책을 내서 인세를 받고 살아야지. 이 나이되니 할 수 있는 거라곤 경비 아저씨랑 운전기사 말고는 없잖아. 이거라도 도전해봐야지."

나는 사실대로 별로라고 말해줘야 할지, 계속 도전해보라고 해야 할지 감이 안 잡혔다. 거짓 희망이라도 자신이 좋으면 그만인 것일지, 아니면 경비 아저씨나 운전기사를 하면서 남은 생을 보내라고 현실적으로 말해줘 한 사람의 희망을 꺾어야 하는 건지… 나는 침묵을 택했다.

그건 그렇고, 한결 나아진 아저씨의 모습을 보니 감정이 차분하게 수그러들었다. 정신을 차려서 정말 다행이었다. 아저씨는 어떤 허물을 벗어버린 것 같았다. 마치 무거운 운명의 굴레에서 해탈한 것처럼 보였다.

"할아버지가 보고 싶어요. 할아버지한테 말할 게 많은데…"

나는 워리 아저씨한테 말했다. 황현의 전화로 충격을 받은 나는 누구한테라도 위로를 받고 싶었다. 괜찮아진 아저씨를 보니 다시 동질감이 되살아났다. 나와 아저씨만이 할아버지를 생각하고 있다는 동질감. 그 동질감은 예전보다 더 커다랗게 와 닿았다. 이젠 의젓해진 아저씨에게 의지하고 싶은 마음까지 생겼다. 난 정말 내가 생각한 것보다 한참 애송이일지도 모른다.

"나도 마찬가지야. 그 양반은 마지막에 내게 이렇게 말했었지. 이 세상에 확실한 것은 없으니 확신하면서 말하는 사람을 너무 믿지 말라고."

할아버지는 워리 아저씨에게도 나에게 했던 것과 똑같이 말하고 자취를 감췄나보다. 사라지기 전, 우리 둘에게 꼭 해주고 싶었던 말이었나 보다.

"그래도 아저씨가 글을 쓰고 깨끗한 모습을 보니 조금 위안이 되네요. 좀 안 좋은 일이 있었거든요."

"안 좋은 일이 한두 가지냐, 나도 많이 겪었고 시간이 지나니 그나마 나아졌지. 그리고 여기 집에서 책을 읽으니까 괜찮아지더라고. 열정이 다시 생겼어. 선생님 생각도 나고, 그 때 같이 수업했던 느낌이 되살아났어. 선생님은 내 걱정과 응석을 다 받아주고 여러 조언을 해줬지. 선생님은 내 유일한 버팀목이였어…

그런 사람이 생판 처음 보는 너한테 이야기를 해준 것으로도 모자라, 사라져버리기까지 하니 와르르 무너져버린 거야. 난 돈이 없어졌고 집도 팔게 되었어. 그걸로 겨우 끼니는 그런대로 해결했지만, 제대로 먹지도 못하고 자지도 못하고 아픈 몸으로 떠돌아다니니, 정말 미쳐버리겠더라고. 돈도 금방 바닥이 나버렸고… 너한테 몹쓸 짓도 많이 했지. 미안하다. 근데 나도 너한테 왜 그랬을까 생각해보니, 나는 네가 부러워서 그랬던 것 같아. 넌 나보다 젊은 데 내가 한 번도 끌어보지 못한 외제차를 타고 다니고, 좋은 회사에 취직했는지 주말과 저녁에도 여유 시간이 있어 보였어. 넌 매주 주말마다 이곳에 오고, 할아버지가 사라져도 평일 저녁마다 꼬박꼬박 왔잖아. 또 키도 크고 얼굴도 반반해. 뭐 하나 빠진 게 없는 네가 할아버지의 이야기도 가지려고 하니 내가 울분이 터진 거야. 근데 이 집에서 안정을 되찾고 내가 한 행동을 되돌아보니 이게 다 뭔 소용인가 싶더라. 어차피 화를 내도 내가 달라지는 건 없고, 사람은 태어날 때부터 각자 다른 인생을 사는 건데. 하지만 아직도 난 네가 부러워. 내가 너였다면 지금 나는 무엇을 하고 있을지 생각하고는 해."

"제가 부러워요? 부러워할 것 없어요. 저도 나름의 고통이 있거든요."

"너한테도 고통이 있어? 그게 뭔데?"

나는 아무 대답하지 않았다. 내가 말해도 아저씨는 아마 이해할 수 없을 거예요. 아마도 아저씨는 배부른 소리하지 말라고 하겠죠.

"남모르는 고통이야? 말하기 싫으면 안 해도 돼. 그나저나 역시 하늘은 공평한 건가. 나만 고통스러운 줄 알았는데 완벽해 보이는 너한테도 고통이 있는 걸 보니."

그랬다. 아저씨와 나는 겉모습과 배경을 다를지 몰라도, 가끔은 감정이 제어가 안 되기도 하고, 음식물을 먹으면 배설을 하고, 이해받지 못할 고통도 느끼다가, 결국에는 죽는 운명을 가진 똑같은 사람이었다. 아저씨가 내 멱살을 잡고 윽박지르던 장면이 머릿속에 빠르게 지나갔다. 아저씨도 어쩔 수 없었겠지. 그래서 나도 아저씨에게 강하게 대하지 못했던 것이고. 이미 아저씨에 대한 악감정은 오늘 처음 봤을 때부터 풀어져버렸다. 아저씨의 상태가 이렇게 좋아질 줄 알았으면 진작 이 집에서 묵게 할 걸 그랬다. 황현의 허락을 맡아야하는지, 이런 쓸데없는 생각을 하고 있었다니.

"근데, 지금은 돈이 어디서 나서 요리하고 먹고 지내시는 거예요?"

아까 보았던 식탁에 푸짐한 상차림이 떠올라 물어보았다. 내 말에 아저씨는 잠시 우물쭈물하다가 말했다.

"너한테 뺏은 노트북을 팔았어. 얼마 안 되지만 그걸로 요기는 되더라고. 괜찮지?"

"그랬구나. 잘하셨어요. 전 새로 샀거든요. 아, 커피 좀 드실래요? 제가 타올게요. 이 방에만 오면 왠지 커피를 먹어야 할 것 같아서."

아저씨도 마시겠다고 하여, 나는 방에서 나가 커피를 타러 갔다. 머그잔에 진한 커피를 따랐다. 커피를 한 모금 마셔보니, 역시 할아버지가 타주었던 커피보다 맛이 없었다. 할아버지의 커피는 풍부하고 다양한 맛을 지니고 있었다. 나는 까만 물을 쳐다보며 문제점이 무엇일까, 생각했다. 물의 온도? 몰래 숨겨놓은 원두로 타는 걸까? 겉으로 보기에 똑같은 검은 물인데 왜 맛이 다른 걸까?

김이 모락모락 나는 머그잔 두 개를 들고 방으로 들어왔다. 아저씨는 커피를 보고 불평했다.

"아이스로 타오는 줄 알았더니, 지금이 7월인데 무슨 따뜻한 커피야. 이거 먹고 더위 먹어서 아프면 어떡해? 책임질 거야?"

"안 아파요. 이상한 걱정하지 마세요."

나는 반달 책상 위에 걸터앉아 창밖을 바라보았다. 뜨거운 커피는 아까 전 황현과 통화했던 기억을 녹여서 날려주었다. 커피를 마시고, 뜨거운 숨을 내뱉으며 격한 감정을 모두 뱉어냈다. 이마와 콧등에 송골송골 땀이 맺혔다. 나는 아저씨와 사소한 대화를 나누며 안정을 되찾아 갔다. 어쩌면 완전히 자포자기를 한 것인지도 모른다.

그래, 황현의 말이 맞을 수도 있다. 그것이 사실이든 아니든 이미 황현은 자신의 글을 발표했고 유명해졌다. 황현이야말로 그 이야기를 듣고 제대로 이용할 수 있는 사람인지도 모른다. 아주 맨 처음, 동굴에서 황현이 자전거 경적을 울리지 않았다면 나는 그 이야기도 듣지 못했을 것이고, 황현이 이야기를 뺏어 책을 내지 않았다면 그 이야기는 그대로 죽어버린 채 빛을 보지 못했을 것이다. 결국은 모두 잘 된 일이다. 그렇다, 나에겐 나쁠지 몰라도 모두에게 잘 된 일…

그럼 난 앞으로 이제 무엇을 해야 할까? 할아버지의 부탁도 들어준 셈이고, 워리 아저씨도 나름대로 괜찮아져 이야기를 쓰고 있다. 어머니도 행복하게 살고 있고 아버지도 여전히 자신만의 인생을 사느라 바쁘다. 할아버지는 나타나지 않을 가능성이 크고 황현은 그 책으로 승승장구하겠지. 그 동굴에 다시 갈 일은 없을 것이다. 이제 나는 무엇을 해야 하냐는 선택만 남았다. 황현에게 복수할까? 할아버지를 계속 기다릴까? 회사는 계속 다녀야할까? 결혼을 해야 할까? 여행을 가야 할까?

나는 내가 미래에 무엇을 하고 있을지 상상해보았지만 아무 것도 떠오르지 않았다. 텅 비어서 도통 무엇을 해야 할지 모르겠다. 하고 싶은 것도 없었다. 이미 모든 것을 다 해본 느낌이다. 차라리 돈이 부족하여 내가 하고 싶은 것을 돈을 벌며 시간을 들여서 죽을 나이까지 했다면, 이런 권태감은 느끼지 아니하지 않았을까? 이미 나는 권태에 대한 해답이 없다는 것을 뼛속까지 알고 있다. 계속 해답은 있다고 위안을 삼으며 발버둥치고 있을 뿐. 내 생활은 풍족한 돈과 기술의 발전으로 인해 너무 빠르게 흘러간 나머지, 시간이 남아돌았다.

아저씨는 커피를 마시다 무언가 생각이 났던지, 머그잔을 책상에 놓고 책장으로 가서 책을 하나 꺼내 내게 왔다.

"이 책, 내용이 좀 이상하더라? 네 노트북에 있던 이야기랑 비슷하던데, 어떻게 된 거야? 황현이라는 사람한테 이야기 팔았어? 얼마 받았어? 근데 왜 이게 잘나가는 거야? 아무리 읽어도 난 무슨 내용인지 잘 모르겠던데."

나는 그 책을 보고 금세 격한 감정이 생겨버렸다. 다 날려버려 비었다고 생각했는데 어디서 또 이런 감정이 생겨나는 건지.

어쩌면 텅 빈 것처럼 보이지만, 우리가 알지 못하는 하얀 베일에 가려져 있는 것일지도 모른다. 동굴이 깜깜한 어둠으로 가려져있듯이.

가끔, 우리의 베일 속에서는 툭 하고 예상치 못한 감정과 생각이 튀어나오기도 한다. 무엇이 베일에 가려져있는지 정확히 모르지만, 가려진 베일 속에는 석류 안에 있는 속껍질을 뜯으면 보석 같은 알갱이가 꽉꽉 차있듯이 나만의 보석이 들어있을 수도, 아니면 아예 형편없는 것이 들어있을 수도 있다. 내가 내 자신 속에 있는 베일을 걷어낼 수 있는 힘을 얻게 된다면 비로소 내가 진정으로 무엇을 해야 할지 알게 될까?

긴 시간에 걸쳐, 나는 그동안 있었던 일을 워리 아저씨에게 천천히 이야기해주었다.

이야기를 마치자, 더운 날씨에 이야기를 하다가 흥분한 나머지 땀이 나서, 옷이 흠뻑 젖어있는 것을 알게 되었다. 뜨겁고 끈적이는 날씨와는 달리 나는 이야기를 다 하여 너무나도 속이 시원했다. 아저씨는 내 이야기를 믿지 못했다.

“그러니까 네 이야기를 훔친 황현이 원래 물을 얼리고 동굴에서 연구를 하며 지낸 사람이라고? 근데, 난 선생님한테 아내가 일찍 죽어 너무 그립다는 말은 들었지만, 자식이 있다는 말은 들어본 적이 없어. 재혼했다는 소리도 안 했고. 이상하네. 왜 나한테는 아내 이야기만 하셨을까?”

할아버지는 아저씨한테 왜 자식이 있다는 소리를 하지 않고 아내 이야기만 했을까? 내 추측으로는, 아저씨가 나이도 있고 결혼도 했고 고생도 해보았기에 할아버지의 이야기에 공감할 수 있어서 할아버지가 아내에 대한 이야기를 했을 것 같다. 아마도 자식 이야기까지는 할 필요가 없어서 하지 않았던 것은 아닐까. 그나저나, 할아버지의 아내가 할아버지 곁을 일찍 떠났다니… 나는 할아버지의 이야기 중 첫 번째 점이 네 번째 점을 그리워하며 자신 속에서 거대하고 황홀한 영상의 세계를 만들어낸 것이 떠올랐다. 어쩌면 할아버지의 이야기 중 첫 번째 점은 할아버지이고, 네 번째 점은 일찍 죽은 아내를 뜻한 건지도 모르겠다. 그래서 이야기를 할 때마다 간간이 슬픔에 물든 표정을 비친 것일지도 모른다. 진실은 할아버지 자신만이 알겠지…

"몰라요. 전 경험한 그대로 말한 것뿐이에요."

"와, 그럼 그거 가지고 내가 소설 하나 써야겠다. 실화라면 더 잘 팔릴 거 아냐?"

워리 아저씨는 기쁜 표정으로 들고 있는 머그잔을 내려놓고 까먹을세라 종이에 급하게 글을 쓰기 시작했다. 그러다가 아저씨는 뭔가 생각이 났는지 고개만 살짝 돌려 나를 쳐다보고 말했다.

"아, 네 경험으로 소설 좀 써도 되지?"

"마음대로 하세요."

"난 너한테 허락 맡은 거다? 내가 아주 유명해져도 나중에 딴 소리 없기야."

나는 할아버지가 자신의 이야기를 나보고 쓰라고 했던 것을 조금이나마 이해할 것 같았다. 각자 자신의 이야기는 본인이 만지기엔 부담스러운, 너무나 소중한 것이기 때문이다. 난 이제 할아버지가 해준 이야기와 모든 말들을 이해할 수 있었다.

땀에 젖어 축축한 바지를 털고 일어나 창 쪽으로 걸어갔다. 창을 보며 나는 슬며시 미소를 지었다. 내 이야기를 후련하게 다 하고 그것의 소중함을 느끼고 나니, 어렴풋이 내 속에서 조그맣게 피어나는 감정을 느낄 수 있었기 때문이다. 그것은 바로 삶에 대한 진지한 **애정**이었다. 아까 전에 내 속에 끊긴 줄은 애정을 느끼는 것을 막는 질긴 점막 같은 것이었는지도 모른다. 강한 고통이 줄을 끊어놓은 것이다. 비록 권태는 사라지지 않았지만, 애정과 권태를 동시에 느끼는 것은 아주 특별한 일이었다. 색으로 표현하자면, 권태는 하얀 색이고 애정은 붉은 색이다. 붉은 애정 한 방울만 하얀 권태에 톡 떨어져도 권태는 사랑스러운 베이비 핑크색으로 바뀐다. 좋은 감정은, 그걸 조금만 느낄 수 있어도 모든 것을 다 바꿔버린다. 지난날, 생일파티에서의 좋지 않은 기억들도 모두 돌이킬 수 없는 과거의 아련한 한 장면으로 남게 되었다.

창밖으로 보이는 도로에는 여전히 쉴 틈 없이 차들이 지나갔고, 빨리 가지 않는 앞차에게는 뒷차가 클락션을 빵빵 세차게 울리고 있었다. 푸른 하늘에는 구름 한 점 없었다. 조그마한 여객기가 태양의 빛을 반사하며 푸른 하늘을 뚫고 어딘가로 빠르게 날아가고 있었다. 모두들 어디로 가는지는 알 수 없었다.

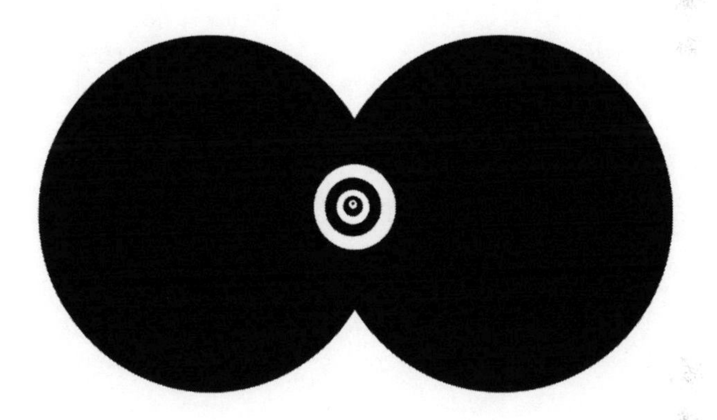